검정고시 입시 고수들의
만점 전략 수험서

최신
개정판

고등학교 졸업자격 검정고시

한양학원 수험서 ― 편집부 저

검고수

한국사

만점전략서

도서
출판 **국자감**
www.kukjagam.co.kr

CONTENTS

검정고시 만점 전략

1. 개정 교육과정의 특징
① 전근대 한국사의 전개 과정을 종합적·체계적으로 파악하고, 민족의 정체성과 전통을 이해하는 데 목적
② 한국 근현대사에 대한 심도 깊은 이해를 통해 현대 한국 사회가 지닌 역사적 문제에 대해 통찰하는 능력을 배양
③ 다양한 역사 자료를 탐구하고 해석하는 과정을 통해 스스로 문제의식을 가지고 비판적으로 사고하는 능력을 함양
④ 현대 한국 사회가 직면한 문제들의 역사적 연원과 세계와의 관련성을 파악하고, 학습자 수준에서 실현 가능한 문제 해결 방안을 공동으로 모색
⑤ 역사적 이해를 바탕으로 나와 다른 삶의 방식을 존중하고, 역사적 주체로서 현대 한국 사회의 발전에 참여하는 자질과 태도를 배양

2. 개정 교육과정 학습법
① 역사적 사실을 단순 암기보다는 이해를 하는 것이 중요함. 이 책은 역사를 시대 순으로 정치 체제, 경제 제도, 사회 구조, 문화에 대해서 서술하여 역사적 흐름을 이해하는 데 목적을 둠
② 내용을 이해하고 문제풀이를 통해서 시험의 방향과 경향을 익히는 것이 중요
③ 구체적인 인물이나 사건 중심보다 역사적 흐름을 이해하는 데 초점을 둠
④ 근현대사에 대한 내용을 확대하여 역사적 이해와 통찰력을 키우는 데 노력
⑤ 반복적인 학습을 통해서 역사적 사고를 향상시키는 것이 중요

01. 우리 역사의 시작

01 우리 역사의 시작

01. 선사시대의 생활

1) 구석기 시대와 신석기 시대

	구석기 시대	신석기 시대
시기	약 70만 년 전	BC 8000년경
유물	뗀석기(주먹도끼), 뼈도구	간석기, 가락바퀴, 빗살무늬토기
경제	채집, 사냥, 어로	농경과 목축의 시작, 수공업
사회	이동생활	부족사회, 씨족사회, 정착생활
주거	동굴이나 막집	강가나 해안가, 움집
종교	주술적 예술품 제작	애니미즘, 토테미즘, 샤머니즘

주먹도끼

빗살무늬 토기

가락바퀴

움집

2) 청동기 시대와 철기 시대

	청동기 시대	철기 시대
시기	기원전 2000 ~ 1500년경에 시작	기원전 4세기경
특징	계급사회, 군장사회, 사유재산제 발생	중국과 교류(명도전, 붓)
유물	고인돌, 비파형 동검, 민무늬 토기, 미송리식 토기, 반달돌칼	독무덤, 널무덤 세형동검, 거푸집 : 독자적 청동 문화 형성
경제	벼농사 시작, 보리, 콩	
주거	구릉지대, 배산임수형 취락	

비파형 동검

미송리식 토기

반달돌칼

고인돌

02. 고조선의 건국과 여러 나라의 성장

1) 고조선의 건국과 발전

① 건국 : 기원전 2333년 단군왕검이 건국(삼국유사에 기록)

② 청동기 문화를 바탕으로 한 우리 민족 최초의 국가

③ 세력 범위 : 만주와 한반도 북부

　· 범위 관련 유물 : 비파형 동검, (북방식)고인돌, 미송리식 토기

④ 단군의 고조선 건국 이야기

　· 건국이념 : 홍익인간

　· 환인, 환웅 : 하늘숭배, 선민사상

　· 풍백(바람), 우사(비), 운사(구름), 곡식 종자 : 농경사회

　· 곰, 호랑이 : 토테미즘

　· 단군왕검 : 제정일치 사회

⑤ 8조법 : 생명 중시, 농경과 사유 재산제 사회, 계급 사회, 가부장적 가족 제도 확립

2) 철기 시대의 여러 나라

	정치	경제와 풍속
부여	5부족 연맹체 제가들이 사출도 지배	영고, 순장, 1책 12법
고구려	5부족 연맹체 대가들이 관리 거느림	동맹, 서옥제
옥저 동예	왕이 없는 군장 국가	옥저 : 민며느리제, 가족 공동묘제 동예 : 무천, 책화, 족외혼
삼한	소도 : 제정 분리 사회 천군의 소도 지배	벼농사 발달, 저수지, 철 수출(변한) 수릿날(5월)과 계절제(10월), 두레

1. 다음 안내문에서 설명하는 대표적 유물은?

> '구석기 유물관'을 찾아주셔서 감사합니다. 이 전시관에는 구석기 사람들이 만들어 사용한 여러 가지 도구들이 전시되어 있습니다.

①

고인돌

②

뗀석기

③

반달돌칼

④

빗살무늬 토기

2. 구석기 시대에 대한 설명으로 적절한 것은?

① 동굴에서 생활하였다.
② 농경 생활이 시작되었다.
③ 애니미즘, 토테미즘 등의 종교가 나타났다.
④ 제정일치 사회로 지배자가 존재하였다.

3. 신석기 시대의 다음 유물이 발견되는 곳은?

① 움집터
② 고인돌
③ 동굴 유적
④ 돌널무덤

4. 다음 자료와 관련된 시기의 생활상으로 옳은 것은?

① 사유 재산과 계급이 발생하였다.
② 비파형 동검이 사용되었다.
③ 사냥과 채집활동으로 이동 생활을 하였다.
④ 농사가 시작되어 정착 생활을 하게 되었다.

5. 다음에서 설명하는 원시 신앙은?

· 자연물에 대한 숭배 사상
· 물, 바위 등의 대상에게 자신들의 바람을 기원함

① 신선사상   ② 애니미즘
③ 토테미즘   ④ 샤머니즘

6. 다음에서 제시된 유물과 관련이 있는 시대는?

〈민무늬 토기〉

① 구석기 시대   ② 신석기 시대
③ 청동기 시대   ④ 철기 시대

7. 우리나라 선사시대에 사용했던 농사용 도구는?

①

비파형 동검

②

가락바퀴

③

반달돌칼

④

빗살무늬 토기

8. 다음 유물을 통해 알 수 있는 사회 특징은?

① 이동 생활
③ 지배 세력의 등장

② 간석기 사용
④ 중국과 문화 교류

9. 우리 민족의 기틀이 형성된 시기는?

① 구석기 ~ 신석기
② 신석기 ~ 청동기
③ 청동기 ~ 철기
④ 철기 ~ 삼국 시대

10. 다음에서 철기 시대의 모습이 <u>아닌</u> 것은?

① 농경 생활을 하는 씨족사회이다.
② 무덤으로 독무덤, 널무덤 등이 있다.
③ 중국과 교류를 하였다.
④ 한자를 사용하기 시작하였다.

11. 다음 내용과 관련이 있는 나라는?

> · 단군왕검이 세운 나라
> · 고인돌, 비파형 동검, 미송리식 토기
> · 8조법 시행

① 부여   ② 삼한
③ 고조선   ④ 고구려

12. 고조선의 8조법을 통해 알 수 있는 내용이 <u>아닌</u> 것은?

> · 사람을 죽인 사람은 사형에 처한다.
> · 남을 다치게 한 사람은 곡식으로 갚는다.
> · 도둑질한 사람은 노비로 삼는데 만약 용서를 받으려면 50만전을 치러야 한다.

① 생명존중사상   ② 평등사회
③ 사유재산제   ④ 농경사회

13. 다음에서 설명하는 제천행사를 가지고 있는 국가는?

> '영고'라는 제천행사는 매년 12월에 개최되었는데, 이는 수렵사회의 전통을 보여
> 주는 것이다.

① 고조선   ② 부여
③ 진한   ④ 우산국

14. 다음에서 설명하는 국가는?

> · 김해 · 마산 지역 중심
> · 철은 교역에서 화폐처럼 사용되기도 함
> · 철을 많이 생산하여 마한, 낙랑, 왜 등으로 수출

① 옥저   ② 동예
③ 부여   ④ 변한

15. 다음 내용과 관련이 있는 나라는?

> · 반어피   · 무천   · 책화

① 고구려   ② 옥저
③ 동예   ④ 부여

16. 다음 내용에 해당하는 나라는?

> · 주몽의 건국 신화
> · 동맹이라는 제천 행사 거행
> · 고추가, 상가
> · 서옥제

① 가야   ② 백제
③ 신라   ④ 고구려

17. 다음 내용에 해당하는 것은?

> · 삼한의 신성 지역
> · 군장의 간섭이 배제되는 곳
> · 천군이 농경과 종교에 대한 의례를 주관한 곳

① 소도   ② 담로
③ 소경   ④ 부곡

18. 다음 〈보기〉와 같은 풍속이 있었던 부족 국가는?

───── 〈보기〉 ─────

　　이 나라는 산천을 중시하여 각 부족의 영역을 함부로 침범하지 못하게 하였다. 만약 다른 부족의 생활권을 침범하면 노비와 소, 말로 변상하게 하였다.

① 고구려　　　　　　　② 부여
③ 동예　　　　　　　　④ 삼한

19. 다음에서 설명하는 초기 국가는?

· 제정분리 사회
· 벼농사와 저수지 발달
· 철 생산 풍부하여 낙랑과 왜와 교역

① 부여　　　　　　　② 고구려
③ 옥저　　　　　　　④ 삼한

20. 다음에서 설명하는 나라는?

· 제천행사 기록 안 됨　　　· 풍속 : 민며느리제
· 군장 국가　　　　　　　· 무덤 : 가족공동묘제

① 부여　　　　　　　② 삼한
③ 고구려　　　　　　④ 옥저

02. 고대 국가의 성장

02 고대 국가의 성장

01. 삼국과 가야의 성립

1) 고대 국가의 특징 : 중앙집권적 성격 강화
  ① 왕권 강화 : 왕위 세습
  ② 율령 반포 : 통치 질서 확립과 관등제 정비
  ③ 불교 수용 : 국민의 사상 통합
  ④ 활발한 영토 확장 : 한강 유역의 주도권

2) 삼국의 성립과 가야의 발전
  ① 고구려의 성립 : 주몽
   · 소수림왕(4세기) : 중국 전진을 통한 불교 수용, 태학 설립, 율령 반포
  ② 백제의 성립 : 온조
   · 고이왕(3세기) : 한강 유역 장악, 관등제 정비, 율령 반포, 고대 국가 기틀 마련
  ③ 신라의 성립 : 박혁거세
   · 박 · 석 · 김 세 성이 번갈아 왕위 차지
  ④ 가야의 성립과 발전
   · 낙동강 하류의 변한 지역에서 성장한 소국이 연맹왕국으로 발전
   · 풍부한 철 생산, 벼농사 발달, 낙랑과 왜를 연결하는 중계무역 발달
   · 가야 토기는 일본 스에키 토기에 영향을 줌
   · 중앙집권적 고대국가로 성장하지 못하고 6세기 신라에 병합

가야의 철제 갑옷

가야의 수레토기

가야 연맹의 위치

02. 삼국의 발전

1) **4세기 한반도 정세** : 백제 팽창기

① 근초고왕 : 백제 팽창기

· 마한 잔여 세력 정복

· 고구려 평양성 공격

· 해외 진출 : 요서, 산둥 반도, 일본 규슈

· 중국 남조의 동진과 교류

② 내물왕 : 신라 고대국가 기틀 마련

· 김씨의 왕위 세습

· '마립간' 이라는 왕의 칭호 사용

· 고구려 도움으로 왜 격퇴

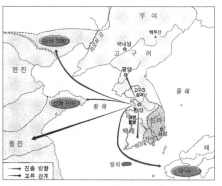

4세기 백제의 발전

 ◀ 호우명 그릇

2) **5세기 한반도 정세** : 고구려의 팽창기

① 광개토대왕 : 최대 영토 확장

· 요동을 포함한 만주 차지

· 한강 이북까지 진출

· 신라를 도와 왜 격퇴

② 장수왕 : 고구려 한강유역 확보

· 남진정책 추진(평양 천도) → 나 · 제 동맹 체결

· 남한강 유역까지 진출(충주 고구려비)

→ 백제 웅진 천도

3) **6세기 한반도 정세** : 신라의 팽창기

① 성왕 : 백제 중흥기

· 사비 천도, 국호를 '남부여' 로 고침

· 불교 진흥 : 일본에 불교 전파(노리사치계)

· 신라와 연합하여 한강 일시적 수복

5세기 고구려 전성기의 세력 판도

② 진흥왕 : 신라의 팽창기

· 화랑도를 국가 조직으로 정비

· 한강 유역 확보 : 중국과 직접 교역 활발

· 「국사」 역사서 편찬

· 대가야 정복, 함경도까지 진출

    cf) 법흥왕(신라) : 율령반포, 불교 공인

신라 진흥왕 때의 영토 확장

03. 신라의 삼국통일 과정

1) 고구려와 수·당의 전쟁

① 수 침입(612) : 을지문덕(살수대첩)

② 고구려의 연개소문 : 당의 침략에 대비 천리장성 축조

③ 당의 침략(645) : 안시성 전투에서 격퇴

2) 신라의 삼국통일

① 백제 멸망(660)

· 나·당 연합군의 공격, 계백의 황산벌 전투 패배

· 백제 유민의 저항 : 부흥 운동 전개(복신, 부여풍, 흑치상지)

② 고구려 멸망(668)

· 연개소문 사후 권력 다툼으로 국력 소모, 나·당 연합군 공격으로 평양성 함락

· 고구려 유민의 저항 : 부흥 운동 전개(안승, 검모잠) 실패

③ 신라의 삼국통일 완성

· 나·당 전쟁 : 매소성 전투, 기벌포 전투에서 당군 격퇴 – 삼국통일 완성

· 삼국통일의 의의 : 자주적 통일, 민족 문화 발전의 기틀 마련

· 삼국통일의 한계 : 외세(당)를 끌어들인 통일, 대동강 이남 지역 확보로 영토 축소

04. 남북국 시대의 발전

1) 신라 중대 왕권의 전제화 : 태종 무열왕 이후
  ① 집사부 시중 권한 강화, 상대등 세력 약화
  ② 녹읍 폐지, 관료전 지급
  ③ 6두품 등용
  ④ 통치체제 정비
    · 지방 : 9주 5소경, 상수리 제도
    · 군사 : 9서당 10정

2) 신라 하대의 동요 : 혜공왕 이후
  ① 왕위 쟁탈전 전개 : 중앙의 통제력 약화
  ② 지방 세력의 성장
    · 호족 : 스스로 성주 또는 장군이라 칭하며 지방의 군사권과 행정권 장악
  ③ 6두품 : 신라의 골품제 사회를 비판하며 새로운 정치 이념 제시, 지방 호족과 연계
  ④ 새로운 사상
    · 선종 : 참선과 사색을 통한 부처의 마음을 읽고 깨달음을 얻는 불교 종파
    · 풍수지리설 : 지형과 지세에 따른 개인과 지역, 국가의 운수사상
  ⑤ 농민봉기 : 원종, 애노의 난 등
    cf) 후삼국 시대 : 후백제(견훤; 900), 후고구려(궁예; 901)

3) 발해 성립과 발전
  ① 건국 : 고구려 유장 대조영이 고구려인과 말갈인과 함께 만주 동모산에서 건국(698)
  ② 고구려 계승 의식
    · 일본에 보낸 국서에 '고려국왕'이라 밝힘
    · 지배층이 고구려인
    · 고구려 문화를 계승 : 온돌장치, 불교양식(연화무늬 기와, 이불병좌상), 굴식돌방
      무덤
  ③ 발해의 발전과 대외관계
    ㉠ 당
      · 무왕(8세기 초) : 영토 확장, 당과 대립, 당의 산둥반도 공격(장문휴), 독자적
        인 연호 사용(인안)

·문왕(8세기 후반) : 당과 친선교류, 신라와 교류(신라도),
독자적 연호 사용(대흥)
·선왕(9세기) : 최대 영토, 중국인들은 '해동성국'이라 부름
ⓒ 신라 : 교류가 활발하진 않음, 신라도
ⓒ 일본 : 신라 견제 이유로 친선 교류
ⓔ 거란 : 발해를 멸망시킴(926)
④ 발해의 통치 조직
·중앙 조직은 당의 3성 6부를 수용했으나 독자적인 명칭과 방식으로 운영
·합의제 기구인 정당성에서 중대사를 논의하고 실무 행정까지 담당
·지방 행정은 5경 15부 62주로 조직

05. 고대 국가의 사회, 경제, 문화

1) 고대 국가의 사회 모습
① 신라의 제도
㉠ 화랑도
·청소년 수련 단체로 원시 사회 청소년 집단에서 유래
·계층 간의 대립과 갈등을 조절, 완화 기능
㉡ 화백회의
·귀족의 합의제 기구
·왕위 계승 문제, 재상 선출 등 국가의 중대사를 논의하여 결정
·귀족의 단결을 굳게 하고, 국왕과 귀족 간의 갈등을 조절하는 기능
㉢ 골품제도
·엄격하고 폐쇄적인 신분 제도
·혈연에 따라 개인의 사회 활동과 정치활동의 범위 제약
·일상생활까지 규제
② 통일 신라의 민족 융합책
·고구려와 백제 귀족을 골품제에 편입
·9서당에 신라인, 고구려인, 백제인, 말갈인까지 편성

2) 고대 국가의 경제 정책

① 농민 생활 안정 : 고구려 진대법(곡식 대여)

② 통일 신라의 민정문서

· 조세와 공납, 역을 징수하기 위한 자료

· 촌락의 토지 면적, 인구 수(연령별, 남녀별 구분), 소와 말의 수, 토산물의 변동 사항 기록

③ 장보고의 활약

· 해적 소탕을 위해 청해진 설치

· 남해와 황해 해상 무역 장악

· 당과 일본의 중계무역 거점으로 성장

④ 당과 교류 활발

· 신라의 유학생이 당의 빈공과에 합격

· 산둥반도와 양쯔강 하류 : 신라방, 신라소, 신라관, 신라원 등 설치

3) 고대 국가의 문화 발전

① 삼국의 유학 교육

· 고구려 : 태학(중앙 교육), 경당(지방 교육)

· 백제 : 박사 제도(오경박사), 사택지적비

· 신라 : 임신서기석(화랑 두 사람이 유교 경전을 공부할 것을 약속한 비석)

② 도교

· 내용 : 무위자연, 산천숭배, 신선사상, 불로장생 추구

· 유물 : 고구려의 사신도, 백제의 금동대향로와 산수무늬 벽돌

▲ 고구려 사신도 중 현무도

▲ 백제 산수무늬 벽돌

▲ 백제의 금동대향로

③ 삼국시대 탑

· 고구려 : 현존하지 않음

· 백제 : 익산 미륵사지 석탑, 부여 정림사지 5층 석탑

· 신라 : 황룡사 9층 목탑(몽골 침입 때 소실), 분황사 모전 석탑

④ 삼국시대 과학 기술

· 천문학 : 고구려의 천문도, 신라의 첨성대(선덕여왕 때 제작)

· 금속 기술 : 백제의 칠지도, 금동대향로, 신라의 금관, 금귀고리

▲ 신라의 첨성대

▲ 칠지도 : 백제와 왜(일본)의 교
류 관계를 보여준다.

⑤ 삼국시대 고분(무덤)

고구려	백제	신라
초기 : 돌무지무덤 후기 : 굴식돌방무덤	한성 : 돌무지무덤 웅진 : 벽돌무덤, 굴식돌방무덤 사비 : 굴식돌방무덤	돌무지 덧널무덤 (벽화 없음)

⑥ 삼국의 문화 일본 전파

· 고구려 : 담징(종이와 먹), 혜자(쇼토쿠 태자 스승), 벽화

· 백제 : 일본과 교류 가장 활발, 왕인(한자, 유학), 노리사치계(불교)

· 신라 : 조선술, 축제술(한인의 연못)

· 삼국의 문화는 일본 아스카 문화에 영향을 줌

4) 남북국의 문화

① 통일 신라 유학의 발달

　　㉠ 국학 설치 : 중앙 교육 기관

　　㉡ 독서삼품과 : 원성왕 때 유학의 성적에 따라 관리 등용하려 했으나 실행되지 못함

　　㉢ 유학자

　　　　· 김대문 : 신라의 문화를 주체적으로 인식(「화랑세기」, 「한산기」, 「고승전」 저술)

　　　　· 설총 : 이두 정리, 「화왕계」 저술

　　　　· 최치원 : 빈공과 합격, 신라 하대 사회개혁안 제출, 「계원필경」 저술

② 통일 신라 불교의 발달

　　· 원효 : 불교 대중화에 기여(아미타 신앙), 화쟁 사상(종파의 통합, 일심 사상), 불교 이해 기준 확립

　　· 혜초 : 「왕오천축국전」 저술

③ 통일 신라 건축과 탑

　　· 건축 : 석굴암, 불국사

　　· 불탑 : 감은사지 3층 석탑, 불국사 3층 석탑(석가탑), 다보탑,

　　· 승탑 : 선종 유행으로 등장, 화순 쌍봉사 철감선사탑

　　· 범종 : 상원사 동종, 성덕대왕 신종(에밀레종)

④ 통일 신라 과학 기술 : 무구정광대다라니경 - 세계 최고의 목판 인쇄본

▲ 불국사 3층 석탑

▲ 석굴암의 본존불

▲ 쌍봉사 철감선사탑

⑤ 발해의 고구려 문화 계승 : 온돌장치, 연화무늬 기와, 이불병좌상, 굴식돌방무덤의 모줄임 천장 구조(정혜공주 묘, 정효공주 묘), 돌사자상

　　cf) 당 문화 수용 : 3성 6부 정치 조직, 주작대로

⑥ 발해 유학의 발달 : 주자감(교육기관), 당의 빈공과 합격생 배출

1. 다음과 같은 유물을 남긴 나라에 대한 설명으로 옳지 <u>않은</u> 것은?

① 일찍부터 농경문화가 발달하였다.
② 연맹 왕국에서 고대 국가로 성장하였다.
③ 철을 생산하여 일본에 수출하였다.
④ 해상을 이용한 중계 무역이 발달하였다.

2. 다음에서 설명하고 있는 직책은 무엇인가?

> · 신라 법흥왕 때 처음 설치
> · 화백회의 의장
> · 신라 중대에는 그 세력이 약화됨

① 대대로   ② 마립간
③ 이사금   ④ 상대등

3. 다음 고대 국가의 특징에 해당하지 <u>않는</u> 국가는?

> · 율령 반포를 통한 통치체제 정비
> · 불교 수용을 통한 집단 강화
> · 정복 활동을 통한 영토 확대와 왕권 강화

① 고구려   ② 백제
③ 가야   ④ 신라

4. 다음 지도는 5세기경 삼국의 형세를 나타낸 것이다. 이러한 상황과 관련이 깊은 것은?

① 백제 요서 진출
② 신라 단양적성비 건립
③ 신라 금관가야 정복
④ 고구려 평양 천도

5. 다음 〈보기〉에서 제시된 왕들의 공통된 업적은?

───── 〈보기〉 ─────

· 광개토대왕　　　 · 근초고왕　　　 · 진흥왕

① 율령을 반포하여 통치체제를 정비하였다.
② 대외적으로 활동하여 영토를 확장시켰다.
③ 불교를 공인하여 왕권을 강화시켰다.
④ 중국에 대항하여 산둥반도를 공격하였다.

6. 다음에서 설명하는 백제의 왕은?

· 사비로 천도하고 국호를 남부여로 개칭
· 중앙 관청과 지방 제도를 정비하여 백제 중흥 도모

① 성왕
② 무왕
③ 침류왕
④ 동성왕

7. 삼국의 통일 과정에서 〈보기〉의 역사적 사실을 순서대로 나열한 것은?

─── 〈보기〉 ───

가. 계백의 황산벌 전투   나. 고구려 평양성 함락
다. 기벌포 전투

① 가 – 나 – 다
② 가 – 다 – 나
③ 나 – 가 – 다
④ 다 – 가 – 나

8. 신라 중대에 나타난 사회 현상으로 옳은 것은?

① 지방 호족 세력의 성장
② 신진 사대부 세력의 대두
③ 6두품의 반신라 세력화
④ 녹읍 폐지와 관료전 지급

9. 완도에 청해진을 설치하고, 해적을 소탕하여 남해와 서해의 해상권을 장악한 사람은?

① 연개소문   ② 이종무
③ 장보고   ④ 이순신

10. 다음 전투를 승리로 이끈 고구려 인물은?

100만이 넘는 수나라 군대는 요동성을 함락하지 못하였다. 이에 수나라는 평양성을 공격하려고 30만 별동대를 파견하였으나, 30만 별동대는 살수에서 거의 전멸하고 말았다. 이 전투 패배 후 수나라 군대는 철수하였다.

① 서희   ② 강감찬
③ 윤관   ④ 을지문덕

11. 백제와 왜의 교류 관계를 보여 주는 것으로, 일본의 이소노카미 신궁에 보관되어 있는 유물은?

①

②

③

④

12. 다음 활동과 관련이 깊은 고대 국가 시대의 사람은?

> · 정토사상으로 불교의 대중화에 공헌
> · 화쟁사상을 주장하여 불교의 종파 융합에 기여
> · 불교의 이해 기준 확립

① 원효   ② 의천

③ 지눌   ④ 혜초

13. 신라 시대 골품제도에 대한 설명으로 틀린 것은?

① 개인과 친족의 신분을 상승시킬 수는 없었다.
② 계층 간의 대립과 갈등을 조절하였다.
③ 정치 활동의 범위를 결정하였다.
④ 6두품은 정치보다 학문이나 종교에서 활동하였다.

14. 다음은 통일 신라 시대에 만들어진 문서의 내용이다. 이 문서는?

> 토지는 논, 밭, 촌주위답, 내시령답 등 토지의 종류와 면적을 기록하고, 사람들은 인구, 가호, 노비의 수와 3년 동안의 사망, 이동 등 변동 내용을 기록하였고, 소와 말의 수, 뽕나무, 잣나무, 호두나무의 수까지 기록하였다.

① 호적대장   ② 토지대장

③ 공물대장   ④ 민정문서

15. 다음에서 설명하고 있는 신라의 제도는?

> · 원시사회의 청소년 집단에서 유래하였다.
> · 계층 간의 대립과 갈등을 조절하는 기능도 하였다.
> · 진흥왕 때 조직이 국가적 기관으로 공인되었다.

① 화랑도   ② 골품제도

③ 진대법   ④ 9서당

16. 다음의 유물과 관련 있는 종교는?

① 도교   ② 불교

③ 유교   ④ 토테미즘

17. 다음 〈보기〉에서 백제의 탑을 모두 고르면?

〈보기〉

가. 미륵사지 석탑	나. 황룡사 9층 목탑
다. 불국사 3층 석탑	라. 정림사지 5층 석탑

① 가, 나   ② 가, 라   ③ 나, 다   ④ 다, 라

18. 고구려 고국천왕 때 농민을 구제하기 위해 봄에 곡식을 빌려주고 가을에 갚게 한 제도는?

① 호포법   ② 진대법

③ 대동법   ④ 영정법

19. 삼국의 문화는 일본 고대 문화 성립과 발전에 큰 영향을 끼쳤다. 이에 대한 설명으로 적절하지 <u>않은</u> 것은?

① 백제 노리사치계는 불경과 불상을 전하였다.

② 일본 아스카 문화 형성에 영향을 주었다.

③ 담징은 한자를 전하여 일본 유학에 영향을 주었다.

④ 신라는 조선술과 축제술을 전파시켰다.

20. 다음 내용과 관련 있는 나라는?

· 9서당   · 석굴암   · 무구정광대다라니경

① 고구려   ② 발해

③ 통일신라   ④ 고려

03. 고려 귀족 사회 형성 과 발전

03 고려 귀족 사회 형성과 발전

01. 고려의 형성과 정치발전

(1) 고려의 통치 체제 정비

1) 태조(왕건)
① 호족 세력 통합
- 융합책 : 정략적 혼인 정책, 성씨 하사
- 견제책 : 사심관 제도, 기인 제도

② 북진 정책
- 서경(평양) 중시
- 영토 확장
- 발해 유민 포용

③ 숭불 정책
- 연등회, 팔관회 행사

2) 광종 : 왕권강화
① 노비안검법
- 불법으로 노비가 된 자를 양인으로 해방 : 호족 세력 약화, 국가 재정 개선

② 과거 제도 실시 : 능력에 따른 관리 선발
③ 왕권강화 : 복색 제정, 독자적 연호 사용(광덕, 준풍)

3) 성종 : 유교적 정치 질서 확립
① 유교적 정치 실현 추구
- 최승로의 시무 28조 채택
- 국자감 설치 : 유학 교육

② 제도 정비
- 중앙 관제 : 2성 6부
- 지방 제도 : 12목 설치, 지방관 파견, 향리 제도

③ 불교 억압 : 연등회, 팔관회의 축소 · 폐지

(2) 고려의 통치 조직

1) 중앙 정치 조직

① 2성 6부제 : 당의 3성 6부 수용

중서문하성 / 상서성(- 6부)

② 중추원 : 군사 기밀과 왕명 출납 담당

③ 도병마사 : 초기에는 국방 문제를 논의하였으나 후기에는 국정 전반을 논의하는 최고의 합의제 기구

cf) 식목도감 : 법률 제정과 관련하여 논의

④ 어사대 : 정치의 잘잘못을 논하고 관리 감찰

⑤ 대간 : 어사대와 낭사로 구성

· 간쟁, 봉박, 서경권 담당

· 권력의 독점과 부정 방지, 언론 기능

⑥ 삼사 : 화폐와 곡식의 출납 및 회계 담당

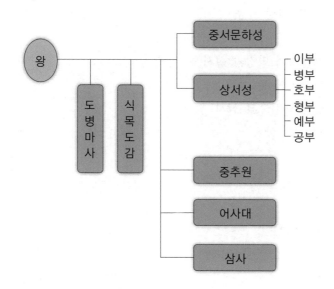

2) 지방 행정 조직

① 5도와 양계

· 5도 : 일반 행정 구역, 안찰사 파견

· 양계 : 군사 행정 구역, 병마사 파견

② 주현과 속현

· 속현 : 지방관이 파견되지 않은 현, 향리가 지휘

③ 향, 부곡, 소 : 특수 행정 구역
   · 거주민 신분은 백정 농민과 같은 양민
   · 일반 양민보다 더 많은 세금 부담
   · 거주민의 이사 자유 없음

3) 군사 제도
   ① 중앙군 : 2군 6위
   ② 지방군 : 주진군(양계), 주현군(5도)

(3) 관리 임용 제도
1) 음서 제도 : 공신과 종실의 자손, 5품 이상 고위 관리의 자손은 과거 시험을 거치지 않고 관리에 등용; 공음전과 더불어 고려의 귀족 사회의 특성을 보여줌

2) 과거 제도 : 양민 이상 가능
   ① 종류
      · 문과 : 제술과와 명경과 실시, 문관 등용
      · 잡과 : 기술관 등용
      · 승과 : 승려 대상으로 실시
   ② 무과는 실시되지 않음

02. 문벌 귀족 사회 성립과 동요

(1) 문벌 귀족 사회 성립
1) 대표 문벌 귀족 : 경원 이씨, 파평 윤씨, 해주 최씨, 경주 김씨 등

2) 문벌 귀족의 특징
   ① 여러 세대에 걸쳐 중앙에서 고위 관직자를 배출한 가문
   ② 음서와 공음전의 혜택
   ③ 서로 간의 통혼과 왕실의 외척이 되어 권력 장악

(2) 문벌 귀족 사회의 동요

1) 이자겸의 난(1126)

① 원인 : 이자겸의 권력 독점, 왕의 측근 세력과 대립

② 영향 : 문벌 귀족 사회의 모순이 드러난 계기, 문벌 귀족 사회 분열 심화

2) 묘청의 서경 천도 운동(1135)

① 배경 : 문벌 귀족의 금에 대한 사대외교에 불만, 이자겸의 난으로 민심 동요

② 개경파와 서경파의 대립

구분	개경파 : 김부식	서경파 : 묘청, 정지상
성격	개경 중심의 문벌 귀족	지방 출신의 개혁적 관리
사상	·유교 사상 : 금에 사대 정책 ·신라 계승 의식	·풍수지리설, 전통 사상 : 북진 정책 ·고구려 계승 의식
주장	·서경 천도 반대 ·유교적 사회질서 확립	·왕권 강화, 혁신 개혁 ·서경 천도, 금 정벌

③ 전개 과정 : 개경 문벌 귀족의 반대로 서경 천도 좌절 → 묘청 등이 서경에서 반란(1135); 국호 : 대위, 연호 : 천개 → 김부식의 관군에 1년 만에 진압

3) 무신정변(1170) : 문벌귀족 사회 붕괴와 무신정권 성립

> 문벌 귀족 사회 동요 관련 사건
>
> 이자겸의 난 → 묘청의 서경 천도 운동 → 무신정변

03. 고려의 대외 관계 변화

(1) 대외 관계 변화

1) 거란 침입 격퇴(요; 10 ~ 11세기)

① 1차 침입(993)

· 서희의 외교 담판

· 강동 6주 확보

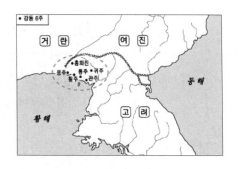

② 2차 침입(1010)

　　· 개경 함락, 양규의 활약으로 격퇴

③ 3차 침입(1018)

　　· 거란의 소배압이 10만 대군을 이끌고 침입

　　· 강감찬이 귀주에서 격퇴(1019; 귀주 대첩)

　　· 개경 주변 나성과 천리장성 축조

2) 여진 정벌(금; 12세기)

① 윤관의 별무반 조직(신보군, 신기군, 항마군)

② 여진 정벌에 성공하여 동북 9성을 축조(1107)

③ 여진의 세력 성장 → 금을 세우고 사대 요구 → 고려의 수용

(2) 무신 정권 성립

1) 무신정변(1170)

① 배경 : 의종의 실정과 향락, 문신 우대와 무신에 대한 차별 대우, 하급 군인에 대한 낮은 대우

② 전개 과정

　　· 무신정변 : 정중부, 이의방 등이 무신정변 주도(1170)

　　· 권력 기구 : 중방(무신 최고 회의 기구) 중심의 국정 운영

　　· 무신 간의 권력 다툼 : 이의방 → 정중부 → 경대승 → 이의민 → 최충헌

2) 최씨 무신 정권

① 최충헌 집권 : 교정도감; 국정의 핵심 기구, 도방; 군사적 기반

② 대몽 항쟁 : 몽골의 침략과 최우의 강화도 천도

③ 개경 환도(1270) : 몽골에 항복하고, 최씨 무신 정권의 몰락으로 개경 환도

3) 하층민의 봉기 : 신분 해방적 성격

① 망이 · 망소이의 난 : 공주 명학소 봉기

② 김사미 · 효심의 난 : 지나친 수탈에 대한 저항, 신라의 부흥 외침

③ 만적의 난 : 최충헌의 노비 만적 주도, 노비들의 신분 해방운동적 성격

(3) 몽골 항쟁(1231 ~ 1270)

1) 몽골의 침략

① 원인 : 거란을 추격하는 과정에서 고려와 처음 접촉한 뒤 무리한 조공을 요구 →
고려는 몽골 사신을 살해 → 고려에 침략

② 전개 과정 : 최씨 정권은 강화를 맺은 뒤 강화도로 천도하여 몽골의 침략에 항쟁

2) 몽골 항쟁

① 처인성 전투 : 김윤후가 부곡민을 이끌고 몽골 장수 살리타 사살

② 충주 다인철소 전투 : 다인철소의 하층민이 몽골군과 끝까지 싸워서 격퇴

③ 팔만대장경 조판 : 부처의 힘으로 국난을 극복하고자 제작

3) 영향

① 문화재 소실 : 초조대장경, 황룡사 9층 목탑 소실

② 삼별초 항쟁(1270 ~ 1273)

· 개경 환도에 반발하여 배중손, 김통정 지휘 하에 몽골에 끝까지 항쟁

· 강화도에서 진도로 다시 제주도로 이동하여 최후까지 항쟁

· 고려 무인의 굴복하지 않는 기개를 보여준 역사적 사건

고려의 대외 관계 정리

1. 거란(10C 말 ~ 11C) : 1차 침입(서희, 강동 6주), 3차 침입(강감찬, 귀주대첩)

2. 여진(12C) : 윤관, 별무반, 동북 9성

3. 몽골(13C) : 강화도 천도, 팔만대장경, 삼별초 항쟁

4. 홍건적, 왜구(14C) : 공민왕 시기, 최영과 이성계 활약, 최무선 화포 제작(진포 싸움에서 왜구 격퇴)

---

04. 고려 후기의 정치 변화

(1) 원 간섭기와 공민왕의 반원 개혁 정치

1) 원 간섭기

① 영토 상실 : 쌍성총관부(철령 이북), 동녕부(자비령 이북), 탐라총관부(제주도)

② 일본 원정에 동원 : 두 차례에 걸친 일본 원정으로 인적, 물적 자원의 피해가 큼

③ 내정 간섭 : 황제에서 왕의 나라로 격하

· 폐하 → 전하, 조종제 → 왕

· 2성 6부 → 1부 4사

· 고려는 원의 부마국 전락

④ 정동행성 설치, 다루가치 파견

⑤ 수탈 : 조공, 공녀, 공납 요구

⑥ 몽골풍 유행 : 수라, 만두, 소주, 변발

2) 공민왕의 자주적 반원 개혁 정치

① 반원 자주 정책

· 정동행성 이문소 폐지

· 쌍성총관부 무력으로 탈환 : 영토 확장

· 관제 복구, 몽골풍 폐지

② 친원 세력(권문세족) 숙청

· 기철 등 제거

③ 왕권 강화

· 전민변정도감 설치 : 불법적 토지를 원래 주인에게 돌려 줌

3) 신진 사대부의 성장

① 지방 향리 출신으로 과거 시험을 통해 중앙정계 진출

② 성리학 수용 : 조선의 기본 사상으로 성장

③ 공민왕 때 성장

④ 권문세족과 불교의 폐단 비판

(2) 고려의 멸망

1) 위화도 회군(1388) : 최영을 제거하고 이성계가 정권 장악

2) 과전법 개혁(1391) : 권문세족의 경제 기반 약화, 신진 사대부의 경제 기반 마련

3) 고려의 멸망 : 혁명파 신진 사대부의 추대로 이성계가 왕으로 추대.

조선 건국(1392)

	권문세족	신진 사대부
경제적 기반	대농장	중소지주층
관직 진출	음서	과거
사상적 기반	불교	성리학
대외정책	친원파	친명파
성향	보수적	개혁적

05. 고려의 경제, 사회, 문화

(1) 고려의 경제

1) 고려의 토지 제도

① 전시과
　　· 관리의 등급에 따라 전지(농지)와 시지(임야)를 나누어 지급한 토지 제도로, 수
　　　조권을 지급함
　　· 원칙적으로 사망하거나 퇴직 시 국가에 반납
② 공음전 : 공신과 종실, 5품 이상의 관료에게 지급되는 특혜적 토지로 세습이 가
　　능한 토지
③ 민전 : 개인 소유지로 매매·상속·증여가 가능한 토지, 조세 부과

2) 농업

① 시비법 발달 : 휴경지 감소

② 밭농사에서는 2년 3작의 윤작법이 나타남

③ 남부 지방 일부에서 이앙법 보급

3) 상업의 발달과 화폐 주조

① 화폐 주조

· 건원중보(철전), 삼한통보, 해동통보, 해동중보, 활구(은병)

· 화폐 유통 부진, 곡식과 삼베가 주요 교환 수단

② 국제 무역항 : 벽란도 – 유럽에 고려의 이름이 소개됨(코리아)

(2) 고려의 사회

1) 고려의 신분 제도

① 귀족

· 왕실과 5품 이상의 고위관리 가문

· 경제 · 정치적 특권을 향유

② 중류층

· 실무 행정을 담당하는 말단 행정직 관리, 직역 세습

· 잡류(중앙의 말단 행정직 관리), 향리(지방의 실무 담당), 남반(궁중 실무 관리), 하급 장교

③ 양민

· 조세와 공납, 역 담당

· 백정(농민) : 특정한 직역을 부담하지 않은 농민

· 상인, 수공업자

· 향, 부곡, 소 주민 : 일반 양민보다 더 많은 세금 부담, 거주 이전 금지

④ 천민

· 노비 : 공노비, 사노비; 매매 · 상속 · 증여의 대상

· 외거 노비의 경우 독립적인 생활과 더불어 재산 형성 가능

2) 고려의 사회 모습

① 사회 제도 : 백성들의 생활 안정책

· 의창(곡식 대여), 상평창(물가 조절)

· 동 · 서 대비원(가난한 환자 치료), 혜민국(의약 전담)

· 제위보(기금을 마련하여 빈민 구제)

② 향도 : 농민 조직

· 매향 활동을 하던 불교 신앙 조직에서 시작

· 고려 후기 마을의 상장례, 마을 제사 등을 주관하는 농민 조직

③ 여성의 지위 : 조선과 비교

시대 내용	고려 시대	조선 시대
상속	자녀 균분	장자 위주
제사와 봉양	여성도 의무	장자
여성의 재혼	여성도 자유로움	여성 불가
호주	여성도 가능	여성 불가
호적 기재	태어난 순서	남녀 구분
혼인 후 거주	처가살이 일반적	시집살이 일반적(친영 제도)
여성의 지위	수평적 평등관계	수직적 종적관계

> 고려의 가족제도
>
> 고려는 사위가 처가의 호적에 입적하는 경우도 있고, 음서의 경우는 사위와 외손자도 혜택이 있었다.

(3) 고려의 문화

1) 고려의 학문 발달

① 사학의 발달

· 관학 : 국자감, 향교

· 최충의 9재 학당(문헌공도)을 비롯한 사학 12도 성행

· 관학 진흥책 : 7재(전문 강좌), 양현고, 서적포

② 성리학의 전래

· 충렬왕 때 안향이 소개, 신진 사대부에 수용

· 신진 사대부의 사회 개혁 사상으로 불교와 권문세족 비판, 조선의 통치 이념으로 계승

2) 고려의 역사서

① 삼국사기 : 고려 중기
- 김부식 편찬, 관찬
- 유교적 합리 사관, 기전체 방식
- 신라 중심으로 서술
- 우리나라 현존 최고의 역사서
- 단군의 고조선 건국 기록 없음

② 삼국유사 : 고려 후기
- 일연 편찬
- 불교사 중심으로 서술, 기사본말체
- 설화와 향가 수록
- 단군의 고조선 건국 기록 최초로 수록

3) 고려의 불교 발달

① 대각국사 의천 : 고려 중기(문벌귀족 시기)
- 천태종 창시 : 교종 중심으로 선종까지 통합
- 교관겸수 강조

② 보조국사 지눌 : 고려 후기(무신정권 시기)
- 조계종 창시 : 선종 중심으로 교종까지 통합
- 정혜쌍수, 돈오점수 강조
- 신앙 정화 운동 : 수선사 결사 운동
- 선교일치 완성

4) 대장경 간행

① 초조대장경 : 거란 침입을 극복하기 위해 제작, 몽골 침입 때 소실
② 팔만대장경(재조대장경)
- 몽골의 침입을 격퇴하기 위해 강화도에서 제작
- 현재 합천 해인사에 보관
- 1995년 유네스코 세계 기록 유산 등재

▲ 팔만대장경

5) 고려 불교 문화

① 목조 건축

· 주심포 양식 : 안동 봉정사 극락전(현존 최고의 목조 건축물), 영주 부석사 무량
  수전, 예산 수덕사 대웅전

· 다포 양식 : 사리원 성불사 응진전

② 석탑

· 평창 월정사 8각 9층 석탑 : 송의 영향

· 개성 경천사지 10층 석탑 : 원의 영향

6) 고려의 과학 기술

① 인쇄술 : 금속 활자 인쇄술

· 상정고금예문(1234) : 기록으로만 전함

· 직지심체요절(1377) : 세계 최고의 금속 활자본, 프랑스 파리 국립 도서관에 보
  관, 유네스코 기록 유산 등재

② 화약 : 최무선 화포 제작; 진포 싸움에서 왜구 격퇴

7) 고려의 공예

① 자기 공예 : 청자(송의 영향), 상감청자(독창적인 우리 도자기 기술)

② 공예 : 은입사 기술, 나전칠기

③ 그림 : 천산대렵도(공민왕), 혜허의 관음보살도

▲ 청자칠보투각향로

▲ 운학문매병(상감청자)

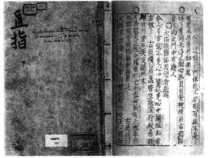
▲ 직지심체요절

1. 고려를 건국한 태조 왕건의 출신 계층은?

   ① 신흥 무인 세력
   ② 문벌 귀족
   ③ 지방 호족
   ④ 신진 사대부

2. 고려 시대에 다음 정책들을 추진하여 왕권을 강화한 왕은?

· 노비 안검법　　　· 과거 제도　　　· 공복 제정

   ① 태조　　　　　　　　　② 광종
   ③ 성종　　　　　　　　　④ 공민왕

3. 다음에서 설명하는 고려의 관리 임용제도는?

· 공신, 종실, 5품 이상 관료의 자손이 대상 · 과거를 보지 않고 관직에 진출 가능 · 고려의 귀족 사회 강화

   ① 취재　　　　　　　　　② 음서
   ③ 천거　　　　　　　　　④ 현량과

4. 다음 고려 시대 역사적 사건들의 공통적인 특징은?

〈보기〉
· 만적의 봉기 · 망이 · 망소이의 봉기 · 김사미, 효심의 봉기

   ① 몽골에 저항　　　　　　② 하층민의 저항 운동
   ③ 발해의 부흥 운동　　　　④ 서경 천도 주장

5. 고려 통치 조직에 대한 설명으로 옳지 <u>않은</u> 것은?

① 도병마사와 식목도감은 국정을 논의하는 합의제 기구이다.
② 대간은 권력의 남용을 견제하는 기구이다.
③ 향, 부곡, 소 등의 특수행정 구역이 존재하였다.
④ 지방의 모든 군현에 수령을 파견하였다.

6. 다음에서 설명하는 고려 시대 역사적 사건은?

> · 서경파와 개경파의 대립
> · 전통 사상과 유교 사상의 대립
> · 풍수지리설에 바탕을 둔 고구려 계승의식

① 삼별초 항쟁
② 만적의 난
③ 이자겸의 난
④ 묘청의 서경 천도 운동

7. 다음에서 설명하는 고려 시대 '이 부대'는?

> 고려는 윤관의 건의를 받아들여 여진을 정벌하기 위한 특수 부대를 편성하였다. <u>이 부대</u>로 여진을 정벌하여 동북 9성을 쌓았다.

① 도방
② 별무반
③ 수어청
④ 속오군

8. 다음과 관련된 고려 시대 북방 민족은?

> · 서희의 외교 담판 · 강동 6주
> · 강감찬 · 귀주대첩

① 몽골
② 여진
③ 거란
④ 홍건적

9. 다음의 내용을 배경으로 일어난 고려의 역사적 사건은?

· 의종의 실정	· 지배 체제 모순 심화
· 하급 군인들의 불만	· 문신 우대와 무신 차별

① 무신정변   ② 위화도 회군

③ 삼별초 항쟁   ④ 서경 천도 운동

10. 고려 시대 문화재를 〈보기〉에서 고른 것은?

①

②

③

④

11. 다음에서 설명하는 고려 시대 승려는?

· 조계종 창시	· 정혜쌍수, 돈오점수
· 신앙정화 운동	· 선교 일치

① 의천   ② 원효

③ 도선   ④ 지눌

12. 다음에서 설명하는 화폐는?

> · 고려 시대 은으로 만든 화폐
> · 고액 화폐
> · 우리나라의 지형을 본떠 만듦

① 저화   ② 활구
③ 건원중보   ④ 상평통보

13. 고려 시대 관리의 등급에 따라 수조권을 지급한 토지제도는?

① 녹읍   ② 영정법
③ 민전   ④ 전시과

14. 다음의 역사서를 저술한 인물은?

> · 단군의 건국 이야기 최초 수록
> · 불교사를 중심으로 고대의 민간 설화 기록

① 일연   ② 의천
③ 김부식   ④ 최승로

15. 다음에서 제시된 고려 시대 사회시설의 설치 목적은?

> · 제위보   · 의창
> · 동 · 서 대비원   · 상평창

① 민생 안정   ② 교육 강화
③ 왕권 강화   ④ 국방력 강화

16. 다음 내용은 고려의 어떤 유물에 대한 설명인가?

> 몽골의 침략으로 소실된 초조대장경을 고종 때 16년 만에 다시 만든 것이다. 현재 합천 해인사에 보존되어 있으며, 세계 문화 기록 유산으로 등록되어있다.

① 팔만대장경
② 삼국사기
③ 왕오천축국전
④ 무구정광대다라니경

17. 〈보기〉에서 고려 시대 '향, 부곡, 소' 주민과 관련된 설명을 고른 것은?

───〈보기〉───

가. 천민층에 속하였다.
나. 백정보다 더 많은 세금을 부담하였다.
다. 거주 지역이 제한되어 이주할 수 없다.
라. 향에 거주하는 사람들은 수공업이 주된 생업이었다.

① 가, 다　　　　　　② 가, 라
③ 나, 다　　　　　　④ 나, 라

18. 다음은 고려 시대의 연표이다. (다) 시기에 있었던 역사적 사실은?

	가	나	다	라	
귀주대첩		무신정변	강화도 천도	개경환도	공민왕 즉위

① 위화도 회군
② 살수 대첩
③ 몽골 항쟁
④ 동북 9성 축조

19. 다음에서 설명하는 고려의 지배 세력은?

> 원 간섭기 동안 형성된 지배층으로 종래의 문벌 귀족 가문, 무신 정권기에 새롭게 귀족층에 등장한 가문, 원과의 관계를 이용하여 지배층에 편입된 가문 등으로 형성되었다.

① 신진 사대부   ② 6두품

③ 호족   ④ 권문세족

20. 다음 설명에 해당하는 고려 시대 신분 계층은?

> · 자유로운 신분의 일반 농민이었다.
> · 소유하고 있는 토지를 민전이라 하였다.
> · 조세, 공납, 역을 부담할 의무가 있었다.

① 중인   ② 향리

③ 백정   ④ 노비

04. 조선 유교 사회
성립과 발전

04 조선 유교 사회 성립과 발전

01. 조선의 건국과 정치발전

(1) 조선의 건국

1) 조선 건국

① 건국 세력 : 신흥 무인 세력(이성계)과 신진 사대부(정도전)

② 건국 과정
- 위화도 회군(1388) : 이성계가 최영을 제거하고 정권 장악
- 조선 건국(1392) : 신진 사대부의 추대로 이성계가 왕위에 오름

2) 국가 기틀 마련

① 태종 : 왕권 강화
- 왕자의 난
- 6조 직계제 실시, 사병 폐지
- 호패법 실시

② 세종 : 유교적 민본 사상 실현
- 왕권과 신권의 조화 : 집현전 설치, 의정부 서사제 실시
- 훈민정음 창제, 과학 기술 발전(측우기, 자격루, 앙부일구, 칠정산)
- 영토 확장 : 여진 정벌을 통해 4군 6진 개척, 사민 정책
- 쓰시마섬 정벌(이종무)

③ 세조 : 6조 직계제 실시, 집현전과 경연 폐지

④ 성종 : 통치 규범의 성문화
- 경국대전 반포 : 조선의 기본 법전
- 홍문관 설치, 경연 강화

(2) 통치 체제 정비

1) 중앙 통치 조직(경관직) : 의정부와 6조 중심

① 의정부 : 조선 시대 최고 회의 기구, 재상의 합의로 국정을 총괄

② 6조 : 실무행정 기관 - 이, 호, 예, 병, 형, 공(책임자 : 판서)

③ 왕권 강화 기구
- 승정원 : 왕의 비서기구, 왕명출납 기구
- 의금부 : 왕의 특별 사법 기구, 국가의 대역죄 처벌

④ 삼사 : 왕권 견제 기구
· 사헌부 : 관리 비리 감찰
· 사간원 : 정책에 대한 간쟁
· 홍문관 : 경연 담당, 국왕의 학문 자문 기구
⑤ 춘추관 : 역사 편찬, 조선왕조실록 편찬
⑥ 한성부 : 수도 한양의 행정과 치안 담당

2) 지방 행정 조직(외관직)

① 8도(관찰사 파견) → 부, 목, 군, 현 설치(수령 파견)
    ㉠ 관찰사 : 수령을 비롯한 모든 외관을 평가함
    ㉡ 수령
       · 지방 행정을 실질적으로 담당하는 각 군현의 외관
       · 왕의 대리인으로 왕명에 따른 지방 통치
    ㉢ 향리 : 지방의 세습직 아전, 수령의 실무 행정을 보좌
② 중앙 집권 체제 강화
   · 속현과 향, 소, 부곡 폐지
   · 모든 군현에 수령 파견
   · 수령 권한 강화, 향리 지위 격하
③ 상피제도 : 수령이나 관찰사는 자신의 출신지에 부임 금지
④ 유향소
   · 지방 양반들의 자치 기구
   · 향회 소집, 여론 수렴, 백성 교화, 수령 자문, 향리 규찰 등
⑤ 경재소 : 중앙에서 지방 업무를 살피는 사무소, 경재소를 통해 유향소 통제

3) 교통과 통신 제도

① 역참제 : 말을 이용하여 물자 수송과 통신 담당(파발)
② 봉수제 : 횃불이나 연기를 이용하여 국경 지역의 군사적 위급 사태 연락
③ 조운제 : 하천(수로)을 이용하여 조세를 운반하는 교통체제

4) 조선 전기 예비군 : 잡색군 – 양반, 향리, 노비 등으로 구성

(3) 관리 등용 제도와 교육제도

1) 과거 제도

① 응시 자격 : 양인(천민이 아니면 가능)

② 과거 종류

ㄱ 문과

· 특징 : 정기 시험(3년마다 보는 식년시), 별시

· 소과 : 예비 시험으로 진사나 생원을 선발, 합격자는 성균관에 입교 자격

· 대과 : 문관 선발 시험

ㄴ 무과 : 무관 선발 시험

ㄷ 잡과 : 기술관 선발 시험, 분야별 해당 관청에서 관리

2) 특별 임용제

① 천거 : 기존 관리 대상으로 추천제

② 음서 : 2품 이상, 공신 자손 대상

③ 취재 : 간단한 시험으로 하급 실무직에 임용

3) 교육 제도

① 서당 : 사학, 초등 교육 기관, 8 ~ 9세에 입교

② 향교 : 관학, 중등 교육 기관

· 중앙에서 교수 파견

· 지방 교육 담당, 한양에는 4부 학당

③ 성균관 : 고등 교육 기관

· 진사와 생원이 입교, 결원이 생기면 4부 학당에서 선발

· 중앙 교육 기관으로 관리 양성 기능도 포함

· 대과에 응시해 관리로 나감

cf) 서원 : 원래는 선현 제사 담당 기능, 학문 연구를 통한 후학 양성

(4) 사림의 등장

1) 사림의 형성

① 위화도 회군으로 온건파 신진 사대부와 혁명파 신진 사대부로 나뉨

② 훈구와 사림

구분	훈구파	사림파
기원	혁명파 신진 사대부 계승	온건파 신진 사대부 계승
성장	세조 집권 이후 정치 실권 장악	성종 때 중앙 정계 본격 진출
특징	부국강병 추구 중앙집권적 정치 성향	왕도 정치 향촌 자치 추구
사상	불교와 풍수지리설에도 관대	성리학만 고수

③ 사화 : 훈구 세력과 사림 세력의 대립
④ 조광조의 개혁
  · 성리학적 통치 이념 추구
  · 현량과 실시, 소격서(전통신앙 주관청) 폐지, 소학 보급, 공납의 폐단 지적
  · 위훈 삭제 사건으로 기묘사화에서 축출

2) 붕당 정치

① 붕당 정치 : 선조 때 정치적, 학문적 성향에 따라 무리지어 정치하는 형태
② 붕당 발생 : 이조전랑직 천거로 붕당(동인 / 서인)
③ 붕당의 기능
  · 공론을 중시, 정치 참여 확대
  · 견제와 균형의 원리의 정치 추구
  · 한계 : 국론 분열과 왕권 약화

3) 성리학적 사회질서 확산

① 서원
  · 이름난 선비 · 공신 숭배 및 덕행 추모 제사
  · 지방 유생의 학문연구, 후학 양성, 사림의 공론 형성
  · 백운동 서원(→ 소수 서원) : 최초의 서원, 16C 풍기 군수 주세붕이 세움
② 향약의 보급
  · 전통적인 마을공동체에 유교 윤리를 가미하여 만든 향촌 자치 조직
  · 역할 : 향촌 사회 풍속 교정, 질서 유지 및 치안 담당
  · 사림의 역할 : 향약의 조직과 운영 주도, 향약을 중심으로 향촌 사회 장악

02. 조선 전기의 대외관계와 양난

(1) 임진왜란

1) 사대교린 정책

① 명과의 관계 : 사대 성책 – 자주적 실리 외교, 선진 문화 수용

② 여진

    ㉠ 강경책

        · 4군6진 개척 : 압록강과 두만강에 이르는 국경선 확정, 토관 제도

        · 사민 정책 : 삼남 주민 이주

    ㉡ 회유책 : 국경에 무역소 설치

③ 일본

    ㉠ 강경책 : 이종무의 쓰시마섬 정벌

    ㉡ 회유책 : 3포 개항, 계해약조 체결(무역 허용)

④ 동남아시아와의 관계 : 류큐, 시암, 자와에서 토산물을 진상 형식으로 교환

2) 임진왜란(1592 ~ 1598)

① 전쟁의 발발 : 도요토미 히데요시가 일본 전국 전쟁을 끝내고 조선을 침략

▲ 임진왜란 해전도

② 이순신의 활약

    · 전라도 곡창 지대 보호

    · 남해 제해권 장악

    · 일본의 수륙 병진 작전 저지

③ 의병의 활약

    · 향토 지리에 밝은 점을 이용

    · 의병장 : 조헌, 고경명, 김천일, 곽재우, 휴정, 유정

④ 임진왜란의 영향

    ㉠ 국내(조선)

        · 많은 인명 피해, 호적과 토지 대장 상실, 국토 황폐화

        · 신분제 동요 : 납속과 공명첩 발행

        · 경복궁과 불국사 소실

▲ 관군과 의병의 활약

　　ⓒ 일본

　　　　·정권 교체 : 도요토미 가문 몰락 → 도쿠가와 이에야스의 에도 막부 성립

　　　　·문화 발달 : 도자기, 성리학 발달

　　ⓒ 명 : 파병으로 인해 막대한 비용과 정치혼란, 국력 쇠퇴

　　ⓔ 여진 : 세력이 성장하여 후금을 세움 – 명과 조선을 위협

(2) 병자호란

1) 광해군의 중립 외교

　① 국내 : 전후 복구 정책

　　·토지 대장(양안), 호적 정리, 사고 복구

　　·「동의보감」(허준) 편찬

　　·경기도에 최초로 대동법 실시

　② 중립외교 정책 : 명과 후금 사이에 중립외교 정책

　③ 인조반정

　　·배경 : 광해군의 중립외교 정책 불만, '폐모살제'의 명분

　　·외교 정책 전환 : 명에 대한 의리와 명분 강조, 서인의 친명배금 정책 실시

2) 병자호란

　① 서인정권의 외교 정책 : 친명배금 정책

　② 후금은 조선의 외교 정책에 대한 불만과 이괄의 난을 이유로 조선에 침략(정묘호란; 1627)

　③ 병자호란(1636)

　　㉠ 배경 : 후금이 청으로 국호를 바꾸고 조선에 군신관계 요구

　　㉡ 병자호란

　　　·청의 조선 침입 : 남한산성으로 들어가 항전

　　　·45일만에 송파 삼전도에서 굴욕적인 항복 : 군신관계 수용

　　　·세자를 비롯한 대신과 많은 사람들이 인질로 끌려감

▲ 정묘호란과 병자호란

3) 북벌운동 전개
① 청과는 표면적으로는 군신관계이나 실질적으로 북벌운동 전개
② 효종, 송시열, 이완 등이 준비했으나 이루지 못함

03. 조선 전기의 경제, 사회, 문화

(1) 조선 전기 경제와 사회
1) 토지 제도 : 수조권 지급
① 과전법(태조)
  · 고려말 신진 사대부 경제 기반 확보
  · 경기도에 한하여 관리에게 지급
  · 전 · 현직 관리 모두에 지급, 사망 시 국가에 반납
  · 수신전과 휼양전으로 예외적 세습
② 직전법(세조)
  · 현직 관리만을 대상으로 토지 지급
  · 수신전과 휼양전 폐지
③ 관수관급제(성종)
  · 국가가 수조권 대행, 양반 관료의 과다 수취 방지
  · 국가의 토지 지배력 강화
④ 직전법 폐지(명종)
  · 지급 토지 부족, 직전법 폐지
  · 녹봉제 실시, 지주전호제 발달

2) 조선의 신분 제도
① 법적인 신분제 : 양천제
② 사회적 신분 제도
  ㉠ 양반 : 문반과 무반직의 현직 관리 → 관직을 가질 수 있는 신분과 가문 의미
  ㉡ 중인 : 기술관, 서리, 향리, 서얼 등; 직역 세습, 잡과 응시

ⓒ 상민

· 농민 : 상민 대다수, 전세·공납·역의 의무, 과거 응시 가능

· 신량역천 : 신분은 양인이지만 하는 일이 천역에 종사; 수군, 나장, 역졸, 조졸, 봉수군 등

· 천민 : 노비, 백정, 재인, 창기, 무당

3) 사회 제도

① 빈민 구제 : 환곡제(의창, 상평창), 사창제

② 의료 및 구휼 시설

ⓐ 혜민국과 동·서대비원 : 서민 환자 구제, 약재 판매

ⓑ 제생원 : 지방민의 구호 및 진료

ⓒ 동·서 활인서 : 유랑자의 수용과 구휼

4) 사법 기구

① 중앙 : 사헌부, 의금부, 한성부, 장례원(노비 관련 문제)

② 지방 : 수령과 관찰사가 지역 내 사법권 행사

(2) 조선 전기 문화

1) 훈민정음과 역사서

① 훈민정음 : 세종 때 우리 고유 문자의 필요성에 창제

② 역사서

ⓐ 고려사(기전체), 고려사절요(편년체)

ⓑ 동국통감(성종; 단군 조선을 국가의 시작으로 확립, 통사체)

2) 지도와 지리서

① 지도 : 혼일강리역대국도지도(태종; 세계지도), 팔도도, 동국지도

② 지리지 : 신찬팔도지리지(세종실록 지리지), 동국여지승람(성종)

3) 법전과 의례서

① 법전 : 경국대전(성종; 조선의 기본 법전)

② 의례서 : 삼강행실도(유교 윤리서), 국조오례의(성종; 국가의례서)

4) 성리학의 발달

① 소개 : 고려 말 원에서 전래되어 안향이 소개

② 수용 : 신진 사대부에 수용되어 조선의 기본 사상으로 발전

③ 내용 : 우주 만물의 이치와 인간의 본성 탐구를 통한 사회문제 해결책 연구

④ 학자

    ㉠ 퇴계 이황 : 근본 원리 중시(이 중심), 영남학파 형성, 도산 서원, 일본 성리학
에 영향, 「주자서절요」, 「성학십도」

    ㉡ 율곡 이이 : 현실과 경험 중시(기 역할 강조), 사회개혁 주장, '십만양병설',
'수미법', 향약 실시, 「동호문답」, 「성학집요」

5) 건축과 예술

구분	15세기	16세기
그림	· 성리학 외에 도교와 노장 분위기 반영 · 안견의 몽유도원도, 강희안의 고사 관수도	· 성리학 중시한 사림의 분위기 반영 · 이정의 대나무, 어몽룡의 매화 그림
공예	분청사기	백자
건축	궁궐, 관아, 성곽, 학교 등	서원 건축 : 자연과 조화

15세기 문화

▲ 고사관수도

▲ 몽유도원도

▲ 분청사기

16세기 문화

▲ 백자   ▲ 초충도(신사임당)   ▲ 묵죽도   ▲ 소수서원

1. 조선 시대 각 왕과 업적이 바르게 연결된 것을 〈보기〉에서 모두 고르면?

　　　　　　　　　　　　　　　　〈보기〉

　가. 태종 – 6조 직계제 실시
　나. 세종 – 집현전 설치
　다. 세조 – 4군 6진 개척
　라. 성종 – 훈민정음 반포

　① 가, 나　　　　　　　　　　② 가, 라
　③ 나, 다　　　　　　　　　　④ 다, 라

2. 조선 성종 때 완성되어 유교적 정치 이념을 제시하고 조선 왕조의 통치 체제를 확립
했던 기본 법전은?

　① 목민심서　　　　　　　　　② 경국대전
　③ 열하일기　　　　　　　　　④ 동국통감

3. 세종 때 만들어진 과학 기구로 옳은 것은?

　① 자격루　　　　　　　　　　② 첨성대
　③ 천리경　　　　　　　　　　④ 거중기

4. 다음에서 설명하는 조선 세종 때 만든 역법서는?

　· 중국과 아라비아의 역법을 참고하였다.
　· 한양을 기준으로 천체 운동을 계산하였다.

　① 시헌력　　　　　　　　　　② 택리지
　③ 칠정산　　　　　　　　　　④ 곤여만국전도

5. 조선 시대의 조세 제도에서 16세 이상 60세에 이르는 양인 장정들이 부담했던 것은?

　① 공납　　　　　② 역　　　　　③ 전세　　　　　④ 진상

6. 다음과 관련 있는 세력이 추진한 정치적 특징과 관련 있는 것은?

> · 온건파 사대부 계승 · 도덕과 의리 숭상
>
> · 왕도 정치 추구 · 16세기 사상계 주도

① 왕권 전제화 ② 중앙집권

③ 부국강병 ④ 향촌 자치제

7. 다음 〈보기〉와 같은 특징을 갖고 있는 도자기는?

> ───〈보기〉───
>
> 16세기에 유행하였으며, 사대부의 취향에 맞는 순백의 고상함을 풍겼다.

①

②

③

④

8. 〈보기〉에서 서원의 기능만을 묶은 것은?

> ───〈보기〉───
>
> 가. 향촌 상장례 주관 나. 선현에 대한 제사
>
> 다. 교육과 학문 연구 라. 중앙 집권 체제의 강화

① 가, 나 ② 나, 다

③ 나, 라 ④ 다, 라

9. 다음에서 설명하는 조선 시대 향촌 조직은?

> · 사림들에 의해 널리 보급됨
> · 향촌에 대한 사림의 지배력 강화
> · 전통적인 향촌 규약에 유교 윤리 가미

① 향약   ② 향도
③ 유향소   ④ 경재소

10. 조선의 중앙 정치기구에 대한 설명으로 옳은 것은?

① 춘추관 – 재정 업무   ② 승정원 – 교육 기관
③ 사헌부 – 관리 감찰   ④ 의금부 – 국정 논의

11. 조선의 지방 행정 제도에 대한 설명으로 적절하지 <u>않은</u> 것은?

① 향리 지위가 수령의 실무를 보좌하는 역할로 하락되었다.
② 교통과 통신체제 정비로 중앙집권 체제가 강화되었다.
③ 지방관은 자신의 출신지에 임명되었다.
④ 지방 양반들은 유향소를 통해 향촌 자치에 참여하였다.

12. 다음에서 설명하는 조선의 왕은?

> · 대동법 실시   · 중립외교 정책

① 광해군   ② 인조   ③ 선조   ④ 효종

13. 다음에서 설명하는 조선 시대 토지 제도는?

> · 전 · 현직 관료에게 경기의 토지 지급   · 사망하거나 퇴직 시 국가에 반납
> · 수신전, 휼양전으로 세습

① 과전법   ② 직전법
③ 관수관급제   ④ 녹봉제

14. 다음과 같은 역할을 수행했던 조선의 외교 사절은?

> · 조선의 문화 외교 사절단
> · 임진왜란 이후 12회 파견
> · 일본이 막부의 권위를 높이는 데 이용

① 보빙사   ② 통신사
③ 영선사   ④ 조사시찰단

15. 조선 시대 중앙 통치 기구 중 3사에 해당하지 않는 것은?

① 사헌부   ② 의금부
③ 사간원   ④ 홍문관

16. 다음과 관계 있는 교육 기관은?

> · 각 군현 단위로 설립한 중등 교육 기관
> · 중앙에서 교수 또는 훈도 파견
> · 성현에 제사, 유생 교육, 지방민 교화

① 향도   ② 향교
③ 서원   ④ 성균관

17. 다음은 조선 시대 향촌의 조직과 운영에 대한 설명이다. (가)에 알맞은 것은?

> (가)은(는) 중앙 정부가 현직 관리로 하여금 연고지의 유향소를 통제하게 하는 제도로서, 중앙과 지방의 연락 업무를 맡았다.

① 향약   ② 유향소
③ 서원   ④ 경재소

18. 다음에 해당하는 조선 시대의 신분 계층은?

> · 대부분 직역이 세습되었다.
>
> · 좁은 의미로는 기술관을 말한다.
>
> · 향리, 서리, 역관, 서얼 등이 이에 속한다.

① 양반   ② 중인   ③ 상민   ④ 천민

19. 다음에서 설명하는 것과 관련 있는 사화는?

> · 현량과 실시   · 소격서 폐지
>
> · 향약 실시, 향촌 자치 주장   · 조광조

① 무오사화   ② 갑자사화
③ 기묘사화   ④ 을사사화

20. 다음 (가)의 시행 결과로 옳은 것은?

> 과전법 → 직전법 → (가)

① 양반 지위 강화
② 상품 화폐 경제 발달
③ 자영농 육성
④ 국가의 토지 지배력 강화

05. 조선 사회의 변화

01. 조선 후기의 정치 구조 변화

(1) 정치 구조 변화와 탕평 정치

1) 비변사 강화

① 조선 초(중종)에 국방문제 즉 여진족과 왜구의 문제를 다루는 임시 기구로 설치

② 을묘왜변(명종) 이후로 상설화

③ 임진왜란 이후 국정을 총괄하는 조선 후기 최고 회의 기구

④ 비변사의 강화 → 의정부와 6조 중심의 행정 체계 유명무실, 왕권 약화

2) 군사제도 변화

① 중앙군 : 5위 → 5군영

· 훈련도감, 어영청, 총융청, 수어청, 금위영

· 훈련도감 : 5군영의 핵심부대로 임진왜란 때 설치, 삼수병 구성, 직업군인

② 지방군 : 속오군(양반에서 노비에 이르기까지 모든 신분으로 편제)

3) 영조의 탕평 정치

① 목적 : 정국 안정과 왕권 강화 추구

· 탕평파 중심 정국 운영

· 산림 존재 인정 안함, 서원 정리

· 이조전랑의 권한 약화 : 후임자 천거권과 삼사 관리 인사권 폐지

② 개혁 정치 : 균역법 시행(1750), 속대전 편찬

4) 정조의 탕평 정치

① 왕권 강화

· 규장각 육성, 초계문신제 실시, 장용영 설치

· 수원 화성 축조, 수령 권한 강화

② 개혁 정치

· 서얼과 노비에 대한 차별 완화

· 상공업 진흥(통공정책 실시)

· 대전통편 편찬

(2) 세도 정치

1) 세도 정치

① 의미 : 특정인 또는 특정 가문이 왕의 신임을 받아 권력을 독점하는 정치

② 전개 : 순조(안동 김씨), 헌종(풍양 조씨), 철종(안동 김씨) 등 63년 간 세도 정치
가 이어짐

2) 권력 구조

① 붕당의 대립 구조 소멸, 세도 가문에 의한 권력 독점

② 과거제 운영 각종 부정 발생, 매관매직 성행

3) 삼정의 문란

① 전정 : 원래 내는 세금에 각종 잡세를 추가 부과

② 군정 : 백골징포, 강년채, 황구첨정, 족징, 인징 등 부정 수급 행위 발생

③ 환곡 : 가난한 농민을 구제하는 것이 아닌 고리대로 변질

4) 농민 봉기 : 원인 – 삼정의 문란

① 홍경래의 난(1811)

· 배경 : 평안도 지역에 대한 차별 대우

· 몰락 양반, 광산 노동자, 농민 등 참여

· 청천강 이북 점령 → 정주성 싸움에서
관군에 전멸

② 임술 농민 봉기(1862)

· 진주 농민 봉기 발발 : 백낙신의 수탈에
반발

· 제주도부터 함경도에 이르는 전국적 농
민 봉기 확산

③ 대책 : 암행어사 파견, 삼정이정청 설치

(3) 조선 후기 대외 관계

1) 청과의 관계

① 효종의 북벌 준비 : 송시열, 이완 등 등용

② 간도를 둘러싼 국경 분쟁

③ 백두산 정계비 건립(1712) : 압록강과 토문강을 경계로 삼음

2) 일본과의 관계

① 기유약조(1609) 체결로 국교 재개 : 왜관 설치, 제한된 범위에서 교섭 허용

② 통신사 파견 : 일본 막부의 권위를 국제적으로 인정받기 위한 일본의 요청에 의해 파견, 조선의 선진 학문과 기술이 일본에 전파되는 계기

3) 울릉도와 독도 : 일본과 관계

① 삼국시대 신라 지증왕 때 우산국(울릉도) 복속

② 조선후기 숙종 때 안용복이 일본에 가서 담판을 짓고, 울릉도와 독도가 우리 영토임을 확인 받음

③ 19세기 말 조선 정부도 적극적으로 울릉도를 관리하여 독도를 관할함

02. 조선 후기의 경제

(1) 조선 후기 수취체제 개편

1) 영정법(인조) : 전세의 정액화

① 배경 : 연분9등법의 공법 문란

② 영정법 시행(1635; 인조) : 풍흉에 관계없이 1결당 쌀 4 ~ 6두로 고정

2) 대동법(광해군 시작) : 공납의 전세화

① 배경 : 방납의 폐단, 농민의 토지 이탈

② 내용

· 토지 1결당 쌀 12두, 삼베나 면포, 동전으로 납부

· 광해군 때 경기도를 시작으로 숙종 때 전국적 확대

· 지주와 방납업자의 반발이 심해 전국적 확대에 100년 소요

③ 대동법의 영향

· 공인의 등장, 상공업 발달, 상품화폐 경제 발달

· 농민의 부담 감소

3) 균역법(영조) : 군역의 개혁

① 배경 : 무리한 군포 징수(백골징포, 황구첨정, 인징, 족징 등)

② 내용

· 군포를 1년에 2필에서 1필로 줄임

· 결작(1결당 2두), 선무군관포, 어장세, 선박세, 소금세 등 보충

(2) 조선 후기 산업 발달

1) 농업의 발달

① 모내기법(이앙법)의 전국적 확대

· 노동력 절감, 벼와 보리의 이모작 증가

· 광작의 성행 : 부농과 빈농으로 농민의 계층 분화

② 상품 작물 재배 : 담배, 인삼, 목화, 채소 등 상품 판매를 목적으로 작물 재배

③ 구황 작물 재배 : 가뭄과 기근에 대비하여 고구마와 감자 재배

2) 수공업과 광업

① 민영 수공업 발달, 선대제 수공업 성행

② 민영 광산(사채) 증가

③ 덕대제 : 광산 운영의 책임을 지는 협업 출현

3) 상품 화폐 경제 발달

① 공인과 사상의 활동 : 금난전권 폐지로 사상들의 도고 행위 성행과 공인의 활동 활발

② 대표 사상

· 송상(개성상인) : 전국에 지점(송방) 설치, 인삼 재배 및 판매 독점권, 대외 무역 관여

· 경강 상인 : 한강을 중심으로 미곡, 어물, 소금을 판매

③ 보부상 : 장날의 차이를 이용하여 여러 장시를 하나의 유통망으로 연결시킴

④ 포구 상인(객주와 여각) – 숙박업, 상품의 보관과 중개, 금융업, 물품 운송 등의 영업

4) 대외무역 발달

① 청과의 무역 : 17세기 중엽 이후 국경지대 중심으로 개시(공무역)와 후시(사무역) 성행

② 주요 상인 : 의주의 만상(대중국 무역 주도), 동래의 내상(대일본 무역 주도), 송상(만상과 내상 중계)

5) 화폐 유통

① 배경 : 상품 화폐 경제 발달, 상평통보 제작, 세금과 소작료의 동전 대납

② 화폐 유통 : 교환의 수단인 동시에 재산 축적의 수단, 전황 발생

③ 신용 화폐 사용 : 환·어음 보급

상평통보

03. 조선 후기 사회 변화

(1) 사회 구조의 변화

1) 신분제의 동요

① 양반층
· 양반 수 급격히 증가 : 납속과 공명첩 외에도 족보 매입, 유생 사칭 등의 방법
· 양반층의 분화 : 권반, 향반, 잔반(몰락 양반)

② 농민층 : 사회 경제적 변화로 역의 부담에서 벗어나기 위해 신분을 사거나 족보 위조·매입

③ 중간 계층의 신분 상승
· 서얼 : 양반으로 상승, 규장각 검서관으로 등용
· 중인 : 기술직에 종사하여 축적한 재산과 실무 경력을 바탕으로 신분 상승

④ 노비 : 납속과 공명첩 외에도 군공, 도망 등을 통해서 신분을 상승시켜 나감

2) 조선 후기 가족 제도

① 특징 : 부계 중심의 가족 제도 강화

② 내용

· 재산 상속에서 장남 우대, 부모의 봉양과 제사는 장남 책임

· 아들이 없는 경우 양자 입양

· 효와 정절 강조 : 효자와 열녀 표창, 과부 재가 금지

· 적서 차별 : 서얼의 문과 응시 제한, 제사와 상속 등에서도 차별

(2) 사회 변혁의 움직임

1) 천주교 전파

① 17세기에 서학으로 소개된 이후 18세기 남인 계열 실학자들이 신앙으로 수용

② 인간평등 사상과 내세 사상을 기반으로 재야 양반과 중인, 여성들 사이 확산

③ 정부의 탄압 : 조상에 대한 제사 거부, 양반 중심의 신분질서 부정이 원인

2) 동학의 발생

① 천주교의 확산에 반대하며 경주 출신 최제우가 창도(1860)

② 교리 : 유교, 불교, 도교의 중요 내용과 민간 신앙 결합

③ 사상 : 시천주, 인내천 사상, 후천 개벽, 「동경대전」, 「용담유사」

④ 탄압 : 최제우 처형; 세상을 어지럽히고 백성들을 현혹한다는 이유로 처형

04. 조선 후기의 문화

(1) 실학의 발달

1) 양명학의 수용

① 18세기 정제두에 의해 체계화(강화학파 형성)

② 지행합일의 실천성 강조

2) 실학의 등장

① 특징 : 실용적·실증적 논리로 사회 개혁론 제시, 민족적이고 근대 지향적인 학문

② 한계 : 학문적 연구에 그침, 정책에 반영 안 됨

3) 농업 중심의 개혁론(중농학파, 토지 개혁)

① 농민 생활 안정을 위한 토지 개혁 주장

② 대표 실학자

실학자	토지개혁론	주장 내용	저서
유형원	균전론	양반 문벌 제도, 과거제, 노비제 비판	반계수록
이익	한전론	나라를 좀 먹는 6가지 폐단 지적(6좀론)	성호사설
정약용	여전론, 정전론	중앙과 지방 행정 개혁, 통치자는 백성을 위해 존재	목민심서, 경세유표

4) 상공업 중심의 개혁론(중상학파, 북학파)

① 상공업 진흥과 기술 혁신, 청 문물 수용

② 대표적인 실학자

실학자	주요 주장	저서
유수원	사농공상의 직업적 평등과 전문화 강조	우서
홍대용	지전설, 중국 중심의 세계관 비판	의산문답
박지원	수레와 선박 이용, 화폐 유통 강조, 양반 문벌 제도의 비생산성 비판 : 허생전, 양반전, 호질	열하일기
박제가	청의 문물 적극 수용, 수레와 선박 이용, 절약보다 소비 강조(우물에 비유)	북학의

5) 국학 연구의 확대

① 역사 연구 : 유득공 「발해고」, 이종휘 「동사」 - 고대 국가의 역사와 문화에 대한 관심을 환기시켰으며, 우리 역사의 무대를 만주까지 확대함

② 지리지 : 택리지(이중환)

각 지역의 자연 환경과 물산, 풍속, 인심 등을 서술하고, 어느 지역이 살기 좋은 곳인가를 논함

③ 지도

· 동국지도(정상기) : 최초로 100리척 사용

· 대동여지도(김정호) : 산맥, 하천, 포구, 도로망을 정밀하게 표시, 10리마다 눈금 표시, 목판으로 인쇄

④ 백과사전 : 지봉유설(이수광), 성호사설(이익), 청장관전서(이덕무)

(2) 조선 후기 과학 기술

1) 서양 과학 기술의 전래

① 세계지도, 천리경, 자명종, 화포 소개

② 지구설과 지전설 전파, 중국 중심의 세계관 변화

2) 천문학과 지도

① 천문학 : 김석문(우리나라 최초 지전설 주장), 홍대용(지전설, 무한 우주론)

② 지도 : 곤여만국전도 전래; 조선인 세계관 확대에 기여

3) 의학과 농학 그리고 기술 개발

① 의학 : 「동의보감」(허준, 전통 한의학 정리), 「동의수세보원」(이제마, 사상의학)

② 기술 개발 : 정약용은 과학과 기술의 중요성 강조(거중기 제작, 배다리 설계)

(3) 문화의 새 경향

1) 서민 문화의 발달

① 양반 중심의 문예 활동에 중인층과 서민층이 참여

② 배경 : 상공업 발달, 농업 생산력 증대, 서당의 보급

③ 한글 소설

· 홍길동전 : 허균 지음, 적서차별에 대한 비판, 부패한 사회 개혁 바람

· 춘향전 : 신분 차별에 대한 비합리성, 탐관오리 고발

④ 사설시조 : 격식에 구애받지 않고 감정을 솔직히 표현

⑤ 판소리 : 솔직한 감정 표현, 서민 문화의 중심

⑥ 탈놀이 : 민중의 오락으로 도시 상인과 중간층의 지원

2) 조선 후기 예술

① 진경산수화 : 우리 자연을 사실적으로 그려 우리 것에 대한 자부심이 드러남
(정선; 인왕제색도, 금강전도)

② 풍속화

· 김홍도 : 서민 생활을 익살스럽게 표현; 씨름도, 타작도, 서당도 등

· 신윤복 : 양반과 부녀자의 생활이나 남녀 간의 애정 묘사; 단오풍정 등

③ 민화 : 민중의 기원, 호랑이·용·까치 등을 소재로 그림

④ 서예 : 김정희(추사체)

3) 건축과 공예

① 17세기 : 금산사 미륵전, 법주사 팔상전

② 18세기 : 수원 화성

③ 19세기 : 경복궁

④ 공예 : 백자가 민간에 널리 쓰임, 청화 백자, 서민은 옹기 사용

▲ 인왕제색도(정선)

▲ 무동(김홍도)

▲ 타작도(김홍도)

▲ 단오풍정(신윤복)

▲ 까치와 호랑이(민화)

▲ 수원 화성

1. 조선 정조의 정책으로 옳은 것을 〈보기〉에서 모두 고른 것은?

   ───── 〈보기〉 ─────

   가. 장용영 설치 　　　　　　　　　나. 균역법 시행

   다. 초계문신 제도 실시 　　　　　　라. 속대전 편찬

   ① 가, 나 　　　　　　　　　　② 가, 다

   ③ 나, 라 　　　　　　　　　　④ 다, 라

2. 다음은 정조 때 수원성을 축조하는 데 사용된 것이다. 이 기계를 고안한 사람에 대한 설명으로 옳지 <u>않은</u> 것은?

   ① 실학을 집대성하였다.

   ② 여전론과 정전론을 주장하였다.

   ③ 〈북학의〉가 대표 저서이다.

   ④ 정조 수원 행차에 배다리를 설계하였다.

3. 다음에서 설명하고 있는 실학자는?

   · 수레와 선박 이용 주장

   · 청에 다녀온 후 〈열하일기〉 저술

   · 양반에 대한 비판으로 양반전, 허생전, 호질 등 저술

   ① 박지원 　　　　　　　　　② 박제가

   ③ 유형원 　　　　　　　　　④ 홍대용

4. 조선 후기의 근대 지향적 움직임으로 옳지 <u>않은</u> 것은?

   ① 세도정치의 등장

   ② 상품화폐 경제 발달

   ③ 신분제 동요

   ④ 실학의 대두

5. 다음 중 조선 후기 변화 내용을 반영한 것으로 보기 <u>어려운</u> 것은?

〈보기〉

· 서당 교육 보급   · 농업과 상공업 발달

① 탈놀이 유행   ② 상감청자 유행

③ 판소리 등장   ④ 한글 소설 보급

6. 다음에 해당하는 조선 후기의 군사 조직은?

· 5군영의 핵심으로 임진왜란 중에 설치
· 일정한 급료를 받는 상비군
· 포수, 사수, 살수의 삼수병으로 편제

① 비변사   ② 속오군

③ 훈련도감   ④ 별기군

7. 조선 후기에 신윤복의 풍속화는?

①

②

③

④

8. 다음 중 조선 후기 사회에서 볼 수 있는 것은?

① 벽란도에 물건을 가져온 아라비아 상인
② 한강에서 소금과 미곡을 거래하는 경강상인
③ 청해진을 통해 중국 물건을 찾는 진골
④ 원에 가져갈 물건을 구입하는 권문세족

9. 조선 후기 경제의 특징이 <u>아닌</u> 것은?

① 이앙법 보급으로 광작 가능
② 전국 장시를 발달시킨 보부상
③ 담배, 인삼 등 상품작물의 재배
④ 상품 판매 독점권을 가진 시전상인

10. 다음 글의 실학자가 관심을 가진 나라는?

> 조선후기 유득공은 우리 고대사의 연구 시야를 만주지방으로 확대하여 한반도 중심의 협소한 사관을 극복하고자 하였다.

① 백제   ② 고려
③ 발해   ④ 가야

11. 다음 그림에서 알 수 있는 조선 후기의 사회 변동 모습을 잘 설명한 것은?

① 몰락한 양반은 가난한 농민의 처지와 비슷하였다.
② 수공업자들은 관청에 들어가서 물건을 만들었다.
③ 자급자족의 경제로 상업이 발달하지 못했다.
④ 화폐보다는 현물로 거래되었다.

12. 조선 후기에 대한 설명으로 적절하지 <u>않은</u> 것은?

① 급료를 받는 직업 군인이 나타났다.
② 납속과 공명첩으로 신분 질서가 흔들렸다.
③ 세도정치로 왕권이 강화되었다.
④ 비변사의 기능이 강화되어 의정부가 약화되었다.

13. 대동법 실시 이후 관청에서 물건 값을 미리 받아 필요한 물건을 사서 납부한 상인은?

① 공인   ② 보부상
③ 송상   ④ 만상

14. 다음에서 설명하는 비석은?

> 이 비석에서는 '양국 간의 국경은 서쪽으로는 압록강, 동쪽으로는 토문강을 경계로 한다.'고 하였다. 그런데 19세기에 이르러 토문강의 위치에 대한 해석상의 차이 때문에 간도 귀속 문제가 발생하였다.

① 단양 적성비   ② 광개토대왕릉비
③ 백두산 정계비   ④ 충주 고구려비

15. 조선 후기 전국에 송방을 설치하고 인삼 재배와 판매, 대외 무역으로 부를 축적한 상인은?

① 경강 상인   ② 평양 상인
③ 동래 상인   ④ 개성 상인

16. 〈보기〉의 사건들이 발생했던 시기의 모습으로 옳지 <u>않은</u> 것은?

───── 〈보기〉 ─────
· 홍경래의 난   · 임술 농민 봉기

① 매관매직 성행   ② 삼정의 문란
③ 집강소 설치   ④ 특정 가문의 권력 독점

17. 다음과 관계있는 조선 후기 지도는?

> · 김정호가 제작하였다.
> · 산맥, 하천, 포구, 도로망의 표시가 정밀하다.
> · 거리를 알 수 있도록 10리마다 눈금을 표시하였다.

① 곤여만국전도   ② 동국지도
③ 대동여지도   ④ 혼일강리역대국도지도

18. 다음에서 설명하는 종교는?

> 최제우가 천주교 확대에 반대하여 창시하였다. 모든 사람이 평등하다는 시천주와 인내천 사상 그리고 후천개벽 사상으로 농민에게 널리 확산되었다.

① 도교   ② 동학
③ 원불교   ④ 대종교

19. 조선 후기의 수취 체제에 대한 설명으로 옳은 것은?

① 방납의 폐단에 대한 해결책으로 영정법이 만들어졌다.
② 대동법은 토산물을 집집마다 부과하는 것이었다.
③ 균역법으로 농민은 1년에 군포 1필을 납부하였다.
④ 대동법의 시행으로 농민의 부담이 더 늘었다.

20. 다음에서 설명하는 조선 후기 수취 제도는?

> · 집집마다 부과하던 토산물을 토지 결수에 따라 쌀, 삼베나 무명, 동전 등으로 납부하는 제도이다.
> · 방납의 폐단을 막기 위해서 실시되었다.

① 균역법   ② 대동법
③ 도조법   ④ 영정법

06. 근대 사회의 전개

06 근대 사회의 전개

01. 외세의 침략적 접근과 개항

(1) 흥선 대원군의 정치

1) 흥선 대원군의 통치 체제 개혁

① 통치 체제 정비 : 세도 정치 타파, 비변사 축소 또는 폐지(의정부와 삼군부 부활)

② 민생 안정책(삼정 개혁)

   ㉠ 전정 : 양전 사업; 양반과 토호의 토지 겸병 금지

   ㉡ 군정 : 호포법 실시; 양반에게도 군포 부과

   ㉢ 환곡 : 사창제 실시(마을 자치적 곡식 대여)

③ 서원 정리 : 국가 재정 확충과 민생 안정

④ 경복궁 중건 : 왕실의 위엄 회복 목적, 당백전 발행, 백성의 부역 징발

⑤ 개혁 정치의 의의 : 국가 기강 확립(전통적인 통치 질서의 재정비), 왕권 강화, 민생 안정

2) 흥선 대원군의 통상 수교 거부 정책

① 병인양요(1866) : 병인박해를 구실로 프랑스의 강화도 침범, 프랑스군의 외규장각 도서 약탈

② 오페르트 도굴 사건(1868) : 오페르트의 남연군 묘 도굴 시도

③ 신미양요(1871) : 제너럴 셔먼호 사건 구실로 미국의 강화도 침범, 어재연 부대 항전

④ 척화비 건립 : 신미양요 후 전국에 건립하여 통상 수교 거부의 의지를 보여 줌

(2) 조선의 개항(강화도 조약)

1) 강화도 조약(1876) : 조선과 일본의 조약

① 운요호 사건(1875) : 강화도 조약의 원인

② 주요 내용 : 조선의 자주국 규정(→ 일본의 청 간섭 배제 의도 반영), 일본의 치외 법권과 해안 측량권 인정(주권 침해한 불평등 조약), 3개 항구 개항(부산, 원산, 인천), 무관세, 곡물 무제한 유출

③ 의의 : 우리 나라 최초의 근대적 조약, 불평등 조약

2) 조·미 수호 통상 조약(1882)

① 미국의 수교 요청

② 조선책략 유포 : 청의 황쭌셴은 러시아의 남하를 막기 위해 중국, 일본, 미국과 수교할 것을 주장(친중국, 결일본, 연미국)

③ 기타 열강과 외교 관계 : 영국(1883), 독일(1883), 이탈리아(1884), 러시아(1884), 프랑스(1886), 오스트리아(1892)

02. 근대적 개혁의 추진과 반발

(1) 개화정책 추진과 반발

1) 1880년대 개화 정책

① 해외 시찰단 및 유학생 파견

· 수신사(일본) : 제1차 수신사 김기수(1876), 제2차 수신사 김홍집(1880) 파견

· 조사 시찰단(일본) : 일본의 근대적 발전상 시찰(1881)

· 영선사(청) : 톈진에서 근대 무기 제조법과 군사 훈련법 습득(1881) → 기기창 설치

· 보빙 사절단(미국) : 최초의 구미 사절단

② 개화 정책

· 관제 개편(1881) : 통리기무아문 설치(개화 정책 추진 기구), 12사 설치

· 군제개편 : 별기군 설치(신식 군대, 일본인 교관이 근대식 군사 훈련)

· 근대 시설 설치 : 기기창(근대 무기 제조), 박문국(인쇄), 전환국(화폐 발행), 우정국(우편 사무)

▲ 별기군(신식군대)　　　▲ 보빙사　　　▲ 우정총국

2) **개화정책 반발** : 위정척사 사상

① 의미 : 우리 전통문화는 수호하고 외세는 배격, 성리학적 유교 질서 유지

② 위정척사 운동의 전개

시기	배경	내용
1860년대	흥선대원군 집권, 병인양요, 신미양요	통상 수교 반대, 척화주전론
1870년대	강화도 조약 체결	개항 반대, 강화도 조약 반대 (왜양일체론)
1880년대	개화정책 추진, 조선책략, 미국과 수교	개화 정책 반발, 미국과 수교 반대 (영남만인소)
1890년대	을미사변, 단발령	을미의병 발발

3) **임오군란(1882)**

① 배경 : 별기군과 구식 군대의 차별 대우, 개화 세력과 보수 세력 갈등

② 경과 : 구식 군대의 일본인 교관 살해 및 일본 공사관 습격, 도시 빈민층의 동조, 흥선 대원군 재집권

③ 결과

· 일본과 제물포 조약 체결 : 일본 공사관 경비병 주둔 인정, 배상금 지불

· 청의 내정 간섭 심화 : 조 · 청 상민 수륙 무역 장정 체결(청 상인에게 통상 특혜 보장)

(2) 갑신정변

1) **개화 세력의 분화**

① 온건 개화파 : 동도서기론, 청 모델, 김홍집 · 어윤중 · 김윤식

② 급진 개화파 : 문명 개화론, 일본 모델, 김옥균 · 박영효 · 홍영식

2) **갑신정변(1884)**

① 전개 : 급진 개화파가 우정총국 개소식 축하연 이용 → 민씨 고관 살해, 새 내각 발표, 14개조 정강 발표 → 청군 개입으로 3일 만에 실패 → 일본으로 망명(3일 천하)

② 내용 : 문벌 폐지, 입헌군주제

③ 의의 : 근대 국가 건설을 목표로 한 최초의 정치 개혁 운동(갑오개혁에 반영)

03. 근대 국가 수립 운동

(1) 동학 농민 운동과 갑오개혁

1) 동학 농민 운동(1894)

① 1차 농민 전쟁(반봉건적) : 조병갑의 수탈로 인한 고부 농민 봉기(전봉준) → 백산 집결(4대 행동 강령 선포) → 황토현 전투, 장성 전투(농민군 승리) → 전주성 점령 → 청군과 일본군의 파병 → 전주 화약을 맺고 해산

② 집강소 시기 : 농민군이 전라도 전역에 집강소를 설치해 자율적으로 폐정개혁 추진

> 동학 농민의 주요 주장(폐정개혁 12조)
>
> - 노비문서 소각한다.
> - 백정이 쓰는 평량갓을 없애라.
> - 과부의 재혼을 허가 하라.
> - 왜와 통하는 자는 엄중히 징벌한다.
> - 토지는 균등히 나누어 경작한다.

③ 2차 농민 전쟁(반외세적) : 일본군의 경복궁 점령 및 내정 간섭 → 공주 우금치 전투에서 패배

④ 의의 : 반봉건, 반외세적 성격의 아래부터의 개혁 운동

2) 갑오개혁(1894)

① 제1차 개혁(갑오개혁, 1894)

· 일본군의 경복궁 점령, 민씨 정권 붕괴, 개혁 추진 기구 '군국기무처' 설치

· 내용 : 왕실과 국정 사무 분리, 과거제 폐지, 조세 금납화, 신분제 폐지, 과부재가 허용

② 제3차 개혁(을미개혁, 1895)

· 삼국 간섭 후 일본의 세력 위축 → 일본의 명성 황후 시해 사건(을미사변) → 을미개혁 실시(김홍집 내각의 급진적 개혁) → 을미의병 봉기, 아관 파천으로 개혁 중단

· 을미개혁 내용 : 단발령, 태양력 사용, 종두법 실시

(2) 독립협회와 대한제국

1) 아관파천(1896)

① 을미개혁 이후 고종이 러시아 공사관으로 거처를 옮김
② 열강의 이권 침탈 본격화
· 내용 : 광산 채굴권, 산림 벌채권, 철도 부설권 등
· 철도는 특히 일본의 대륙 침략 의도로 부설됨

2) 독립 협회 결성(1896)

① 조직 : 서재필 등 개화 지식층, 관료와 일반인 참여
② 목적 : 민중 계몽을 통한 자유 민주주의, 민권 신장, 자주 국권 수호
③ 독립 협회의 활동
· 민중 계몽 운동 : 독립문 건립, 독립신문 발행, 토론회 개최; 민중의 정치의식
  고양
· 자주 국권 운동 : 러시아의 내정 간섭과 이권 침탈 규탄
· 최초의 근대적 민중 집회인 만민 공동회 개최(1898)
③ 자유 민권 운동과 의회 설립 운동
· 언론 · 출판 · 집회 · 결사의 자유 보장, 국민 참정권 운동, 의회 설립 운동 전개
· 관민 공동회 개최 : 독립 협회와 정부 대신 참석, 헌의 6조 결의

1. 외국인에게 의지하지 아니하고 관민이 협력하여 전제 황권을 공고히 할 것
3. 국가 재정은 탁지부에서 모두 관리하며 예산, 결산을 국민에게 공포할 것
4. 중대 범죄인은 반드시 재판하되, 피고의 인권을 존중할 것

- 헌의 6조 -

▲ 독립문

▲ 독립신문

▲ 만민공동회

3) 대한제국의 수립(1897)

　① 러시아와 일본의 세력 균형

　② 고종이 러시아 공사관에서 환궁 후 대한제국 선포(연호 : 광무), '황제' 칭호 사용

4) 광무개혁

　① 성격 : 구본신참(舊本新參)의 기본 방향, 점진적 개혁

　② 광무개혁 내용

　　· 정치 : 대한국 국제 선포(전제 황제권 규정), 원수부 설치(황제가 군대 통솔);

　　　황제권 강화

　　· 경제 : 지계 발급(근대적인 토지 소유권 제도 마련), 식산흥업 정책(상공업 진흥책)

　　· 사회 : 근대 시설 도입(전화 가설, 전차 선로 부설), 실업학교 설립

5) 간도와 독도

　① 간도

　　· 대한제국의 간도 관리사 파견, 간도를 우리 영토로 편입하여 관리

　　· 간도협약(1909, 일본-청) : 남만주 철도 부설 대가로 일본이 청에게 간도 양도

　② 독도

　　· 울릉군에서 독도 관할

　　· 러 · 일 전쟁(1905) 중 일본이 불법으로 일본 영토에 편입시킴

04. 국권 수호 운동

(1) 일제의 국권 침탈

1) 러 · 일 전쟁 발발(1904)

　① 한 · 일 의정서(1904) : 한반도 내의 전략상 필요한 지역을 군사 기지로 확보

　② 제1차 한 · 일 협약(1904) : 고문정치

　　· 메가타를 재정 고문으로, 스티븐스를 외교 고문으로 파견하여 내정 간섭 강화

2) 을사늑약(1905)

　① 배경 : 가쓰라 · 태프트 밀약(미국-일본), 제2차 영일동맹(영국-일본), 포츠머스

　　조약(러시아-일본); 일본의 한반도 독점권 인정

② 과정 : 일본의 을사늑약 강요, 이완용 등 5명의 대신 서명으로 체결
③ 결과
    · 외교권 박탈 : 일본의 이름으로 외교 관계를 맺을 수 있음
    · 통감부 설치 : 초대 통감에 이토 히로부미 부임
④ 민족의 저항 : 자결 순국(민영환), 항일 논설(시일야방성대곡−황성신문), 5적 암살단 조직, 항일 의병(을사의병), 정부에서 헤이그 특사 파견 등

3) 국권 피탈(1910)

① 고종의 강제 퇴위(1907)
    · 헤이그 특사 사건을 빌미로 고종 강제 퇴위, 순종 즉위
    · 한 · 일 신협약(1907, 정미7조약) : 군대 해산과 차관정치 실시
② 사법권 박탈(1909), 경찰권 박탈(1910)
③ 일진회 : 친일 단체 일진회가 한 · 일 합방 청원서와 성명서 발표
④ 한 · 일 강제 병합(1910) : 이완용과 데라우치가 한국과 일본 병합 발표(1910.8.29)

(2) 국권 수호 운동 전개

1) 항일 의병 운동

의병 발생 시기	의병의 원인	주요 내용
을미의병 (1895)	명성황후 시해(을미사변), 단발령(을미개혁)	양반 유생 주도, 동학 농민군의 잔여 세력 가담
을사의병 (1905)	외교권 박탈	최익현(양반 유생), 신돌석(평민)
정미의병 (1907)	고종의 강제 퇴위, 군대해산	해산된 군인들의 의병 합류(전력 강화), 13도 창의군 서울진공 작전 실패

2) 항일 의거 활동

① 장인환, 전명운 : 미국 샌프란시스코에서 스티븐스 저격(1908)
② 안중근 : 만주 하얼빈에서 이토 히로부미 사살(1909)

3) 애국 계몽 운동

① 보안회(1904) : 일제의 황무지 개간권 저지 운동

② 신민회 활동(1907 ~ 1911)

　㉠ 결성 : 안창호, 양기탁 등이 비밀결사 형태로 조직

　㉡ 목표 : 국권 회복과 공화정체를 바탕으로 한 근대 국민 국가 건설

　㉢ 교육 활동 : 대성학교(평양), 오산학교(정주) 설립

　㉣ 경제 활동 : 자기회사, 태극서관 설립

　㉤ 무장 투쟁 준비 : 국외 독립운동 기지 건설 – 서간도 삼원보에 신흥무관학교 설립

　㉥ 해체 : 105인 사건으로 해체

4) 언론 활동

① 국민 계몽과 애국심 고취에 노력

② 황성신문(장지연의 시일야방성대곡), 대한매일신보(국채 보상 운동 전개)

05. 개항 이후의 경제와 사회 변화

(1) 열강의 경제 침탈과 사회 변화

1) 일본의 경제 침탈

① 일본의 토지 침탈 : 러 · 일 전쟁 중 철도 부지와 군용지 확보를 구실로 토지 약탈 본격화, 동양 척식 주식회사(1908)를 통한 토지 약탈

② 일본의 금융 지배

　· 화폐 정리 사업(1905) : 재정 고문 메가타가 주도 → 국내 금융 자본 붕괴

　· 금융 지배 : 화폐 정리 사업을 계기로 일본 제일은행권이 법정 통화가 됨

2) 경제적 구국 운동의 전개

① 방곡령 시행 : 일제의 미곡 유출에 맞서 함경도와 황해도 등지에서 시행

② 상권 수호 운동 : 외국 상인들의 내륙 침투 → 황국 중앙 총상회 조직

③ 독립 협회의 이권 수호 운동 : 러시아의 이권 침탈 저지

④ 보안회 : 일제 황무지 개척권 요구 반대 운동 전개

⑤ 국채 보상 운동(1907)

　　· 일본에 진 빚 1300만원 갚고 경제적 예속에서 벗어나기 위한 노력

　　· 대구에서 시작, 전국적인 금 모으기, 금주 · 금연 운동

　　· 대한매일신보의 지원

3) 근대 사회로 변화

① 평등 사회로 이행 : 갑신정변, 동학 농민 운동 → 갑오개혁으로 신분제 폐지

② 독립협회 : 만민 공동회, 의회 설립 통해 평등 의식 확산, 자유 민권 운동 전개

(2) 근대 문물 수용

1) 근대 시설 도입

① 통신 : 전신, 전기, 전화 가설

② 의료 : 광혜원(1885, 최초의 근대식 병원, 후에 제중원으로 개명), 세브란스(개신교)

2) 근대 교육

① 최초의 근대 학교 : 원산학사(사립 학교)

② 관립 학교 설립 : 육영공원(1886)

3) 근대 언론

① 한성순보 : 최초의 근대 신문, 관보

② 독립신문 : 서재필, 최초 민간 신문, 한글 · 영문판

③ 황성신문 : 국 · 한문 혼용, 장지연의 시일야방성대곡(을사늑약 비판)

④ 대한매일신보 : 양기탁과 영국인 베델이 발행, 국채보상 운동 지원

한성순보

대한매일신보

1. 다음 〈보기〉에서 흥선 대원군의 정책을 모두 고른 것은?

---〈보기〉---

가. 규장각 설치   나. 경복궁 중건
다. 서원 철폐   라. 비변사 설치

① 가, 나   ② 가, 다
③ 나, 다   ④ 다, 라

2. 다음은 개항 이후 열강의 경제 침투에 대한 글이다. (가)~(라)의 밑줄 친 내용 중 옳지 <u>않은</u> 것은?

　문호를 개방한 근대 조약인 (가)<u>강화도 조약은 평등조약으로 관세에 관한 규정이 없었고, 조약이 개정된 후에도 아주 낮은 관세만을 부과할 수 있었다.</u> (나)<u>1880년대 들어서 외국 상인은 내지로 들어와 무역을 할 수 있었지만,</u> (다)<u>이들이 저지르는 불법 활동에 대해서 거의 처벌할 수 없었다.</u> (라)<u>거래에 외국 화폐도 사용되었다.</u>

① (가)   ② (나)
③ (다)   ④ (라)

3. 다음과 같은 정책을 비판하였던 사상은?

---〈보기〉---

· 수신사 파견   · 영선사 파견
· 통리기무아문 설치   · 별기군 창설

① 북학 사상
② 실학 사상
③ 개화 사상
④ 위정척사 사상

4. 다음과 같은 사실과 관련 있는 사건은?

> · 별기군과의 차별 대우
> · 정부의 서툰 개화 정책에 대한 반발
> · 일본 공사관 습격과 일본인 교관 살해

① 임오군란   ② 갑신정변
③ 강화도 조약   ④ 갑오개혁

5. 다음 〈보기〉의 내용과 관련 있는 사건은?

> ───〈보기〉───
> · 김옥균, 박영효, 홍영식 등이 주도
> · 근대 국가 건설을 목표로 하는 최초의 정치 개혁 운동
> · 우정국 개소식 축하연
> · 문벌 폐지와 입헌군주제 주장

① 갑신정변   ② 위정척사 운동
③ 광무개혁   ④ 운요호 사건

6. 다음과 같은 개혁안을 내세웠던 역사적 사건은?

> · 노비 문서를 소각한다.
> · 청상과부의 개가를 허용한다.
> · 왜와 통하는 자는 엄징한다.
> · 토지는 평균하여 분작한다.

① 갑신정변   ② 갑오개혁
③ 임오군란   ④ 동학 농민 운동

7. 다음 내용과 관계 깊은 것은?

· 신분제 폐지	· 과거제 폐지
· 조세 금납화	· 과부의 재혼 허용

① 광무개혁   ② 갑신정변

③ 독립협회   ④ 갑오개혁

8. 다음 설명에서 독립협회 활동과 관련 있는 것은?

서울 종로에서 열린 일종의 민중 집회로서 독립협회의 회원들이 중심이 되었으며, 일반 시민들도 참여하였다. 정치, 사회의 여러 문제에 관해 토론을 벌이기도 하였으며 근대적인 의회 정치의 실시 등 혁신적인 개혁 정치에 대한 건의를 국왕에게 올리기도 하였다.

① 보안회   ② 신민회

③ 만민공동회   ④ 국채보상 운동

9. 국민의 힘으로 일본에서 들여온 차관을 갚고, 국권을 지키기 위해 대구에서 시작되어 전국으로 확산된 운동은?

① 방곡령   ② 이권수호 운동

③ 국채보상 운동   ④ 물산장려 운동

10. 의병의 원인과 성격에 대한 설명으로 옳지 <u>않은</u> 것은?

① 을미의병 : 을미사변, 단발령

② 을사의병 : 을사조약, 평민의병장 등장

③ 정미의병 : 고종의 강제 퇴위, 군대 해산

④ 국민국가를 목표로 근대 사회 개혁 주장

11. 다음 중 우리나라 근대화 과정에서 일어난 사건의 성격을 설명한 것으로 적절한 것은?

① 강화도 조약 : 미국과 맺은 서양과 최초의 조약
② 갑신정변 : 개화정책에 반발한 전통 수호 운동
③ 갑오개혁 : 개화당이 추진한 근대 국가 건설 운동
④ 광무개혁 : 구본신참의 복고적, 점진적 개혁 운동

12. 〈보기〉의 내용과 관련이 있는 사건은?

──────〈보기〉──────
· 고종이 러시아 공사관으로 거처를 옮김
· 열강에 의한 각종 이권 침탈 심화
· 독립협회가 조직되어 환궁 요구

① 신미양요   ② 아관파천
③ 청일전쟁   ④ 을미사변

13. 다음 〈보기〉에서 제시한 것들의 공통적인 내용은?

──────〈보기〉──────
· 갑신정변   · 동학농민운동
· 갑오개혁   · 독립협회

① 평등 사회 추구   ② 전제 왕권 강화
③ 외세 배격   ④ 점진적 개혁 운동

14. 다음에서 설명하고 있는 애국계몽 단체는?

· 비밀결사 조직
· 105인 사건으로 해체
· 국내 : 대성학교, 오산학교, 태극서관 설립
· 국외 : 신흥무관학교 설립

① 독립협회   ② 보안회
③ 신민회   ④ 신간회

15. 다음 내용을 배경으로 일본이 일으켰던 사건은?

> 일본의 요동반도 진출이 러시아를 비롯한 삼국의 간섭으로 실패하고 일본 세력이 위축되었다. 이에 명성황후가 일본을 견제하기 위해 러시아와 손을 잡으려 하였다.

① 갑신정변　　　　　　　　　② 아관파천
③ 임오군란　　　　　　　　　④ 을미사변

16. 다음은 대한제국 시기에 전개된 민족 운동의 두 가지 흐름이다. 이들의 공통된 목표는 무엇인가?

> ─────〈보기〉─────
> ·의병 항쟁　　　　　　·애국계몽 운동

① 산업 진흥　　　　　　　　　② 국권 수호
③ 무장 투쟁　　　　　　　　　④ 실력 양성

17. 다음 내용과 관련 있는 단체는?

> 일제는 황무지 개간을 통해서 토지를 약탈하려하였다. 이에 이 단체가 만들어져 일제의 황무지 개간권 요구를 저지하는 구국 운동을 전개하였다.

① 보안회　　　　　　　　　　② 신간회
③ 만민공동회　　　　　　　　④ 집강소

18. 다음은 20세기 초기에 나타난 국제 관계이다. 을사늑약 체결 당시 우리나라에 대한 열강들의 태도는?

> ·가쓰라·태프트 밀약　　　　　·제2차 영·일 동맹
> ·포츠머스 조약

① 영세 중립화 논의
② 일본의 한국 지배를 인정
③ 적당한 시기에 독립을 추진
④ 미·소에 의한 신탁통치 시행

19. 일제의 국권 침략 과정 중 다음과 관련된 것은?

> · 강제적인 조약 체결
> · 대한제국의 외교권 박탈
> · 통감부 설치

① 강화도 조약
② 제1차 한·일 협약
③ 을사늑약
④ 한·일 신협약

20. 다음 사건들을 일어난 순서대로 배열한 것은?

> 가. 임오군란   나. 갑오개혁
> 다. 을사늑약   라. 한일병합

① 가 – 나 – 다 – 라
② 가 – 라 – 나 – 다
③ 라 – 다 – 가 – 나
④ 라 – 다 – 나 – 가

07. 민족의 독립 운동

민족의 독립 운동

01. 일제의 식민지 지배 정책

(1) 1910년대 무단 통치 – 헌병 경찰 통치

1) 내용

① 조선 총독부 설치 : 무관 총독이 입법, 사법, 군사권 장악

② 헌병 경찰제 : 헌병을 동원한 무단통치

③ 즉결 심판권 행사, 조선 태형령 실시(한국인에게만 적용)

④ 관리, 교원까지 칼을 차고 제복을 입게 함

⑤ 기본권 박탈 : 언론 · 출판 · 집회 · 결사의 자유 박탈; 민족 언론 폐간, 민족 운동 단체 해산

2) 토지 조사 사업(1912~1918)

① 목적 : 안정적인 토지세 확보, 토지 약탈

② 방법 : 기한부 신고제(짧은 기간 내에 까다로운 절차를 거쳐 신고해야 소유권 인정)

③ 결과

· 미신고 토지의 약탈 : 미신고 토지, 왕실 · 공공 기관 및 신고 주체가 불분명한 토지를 총독부에 귀속시킴

· 농민들의 경작권, 영구 소작권 상실 → 기한부 소작농으로 전락, 만주 · 연해주 등지로 이주

3) 회사령 실시

① 회사령 실시(1910) : 총독부의 허가를 받도록 함, 한국인의 민족 자본 성장을 저지

② 광업령과 어업령 : 자원 수탈과 어장 독점

(2) 1920년대 문화 통치 – 민족 분열 통치

1) 문화 통치의 기만성

일제의 정책	실제 내용
문관 총독 임명 가능	해방 될 때까지 단 한명의 문관 총독도 임명되지 않음
보통 경찰제 실시	경찰의 수 · 예산 · 장비는 대폭 증가, 치안유지법
한글 신문 간행 허용	사전 검열, 삭제, 정간, 폐간 등 탄압

2) **식량 수탈** : 산미 증식 계획(1920~1934)

　① 수리 시설 개선, 종자 개량 등으로 생산량 증대 → 증산 목표를 이루지 못했으나 수탈량은 계획대로 진행

　② 결과

　　· 식량 사정 악화 : 증산량보다 더 많은 양을 일본으로 반출, 만주에서 잡곡 수입

　　· 증산 비용 부담 : 수리 조합비, 품종 개량비 등을 농민이 부담

　　· 농업 구조 왜곡 : 쌀 중심의 단작 농업화, 논 비중 증가

3) **회사령 철폐(1920)**

　① 내용 : 회사 설립을 허가제에서 신고제로 전환

　② 결과 : 일본 대기업의 본격적인 한국 진출

(3) 1930년대 민족 말살 통치

1) **민족 말살 정책**

　① 황국 신민 서사 암송, 내선 일체, 일선 동조론 주장

　② 궁성 요배, 신사 참배 강요, 일본식 이름 사용 강요

　③ 한국어와 한국사 교육 금지, 조선·동아일보 폐간, 국민학교 명칭 사용

2) **병참 기지화 정책**

　① 전쟁에 필요한 군수 물자 제공

　② 남면북양 정책 : 남부에 면화 재배, 북부에 양을 길러 공업 원료 제공

3) **국가 총동원법(1938)**

　① 인력 강제 동원 : 지원병제, 국민 징용령, 학도 지원병제, 징병제, 여자 정신 근로령

　② 물적 자원 수탈 : 미곡 공출제, 식량 배급제, 금속 공출제

02. 3 · 1 운동과 대한민국 임시정부

(1) 민족의 독립 선언 3 · 1 운동(1919)

1) 3 · 1 운동의 배경
① 윌슨의 민족자결주의, 2 · 8 독립 선언
② 국내 민족 운동 준비 : 천도교, 불교, 기독교 지도자와 학생 대표 중심으로 고종의
국장일에 대규모 시위 준비

2) 3 · 1 운동 전개 과정
① 시작 : 민족 대표(태화관), 학생과 시민(탑골공원) – 독립 선언서 낭독
전국 주요 도시에서 시위 전개
② 국내 확산 : 전국으로 확산, 농촌으로 확산되면서 점차 조직화되고 격렬해짐
③ 일제의 탄압 : 군대와 헌병 경찰의 무력 진압과 발포, 유관순 열사, 제암리 사건
④ 국외 확산 : 동포 거류지역인 간도와 연해주, 미국 등지에서 만세 시위전개

3) 3 · 1 운동의 의의와 영향
① 전 민족적인 독립 운동 : 지식인, 학생 중심, 노동자, 농민의 참여
② 대한민국 임시정부의 수립에 영향 : 민족 독립 운동의 조직화, 체계화의 필요성
인식
③ 일제의 통치 방식 변화 : 무단 통치 → 문화 통치
④ 아시아 민족 운동에 영향 : 중국의 5 · 4 운동, 인도의 비폭력 독립 운동 등

(2) 대한민국 임시정부(1919)

1) 임시정부 통합
① 한성 정부안 수용, 정부 위치는 상하이, 명칭은 대한민국 임시정부
② 정부 형태
· 3권 분립 : 국무원(행정), 임시 의정원(입법), 법원(사법)
· 최초의 민주 공화제 정부

2) 대한민국 임시정부 활동
① 군자금 모금 : 연통제(비밀 행정 조직), 교통국(통신기관) 설치 – 국내외 정보 수집,
연락 업무 및 군자금 모집, 애국공채 발행, 이륭양행, 백산상회

② 외교 활동 : 파리강화 회의 대표 파견(김규식), 구미위원부(미국, 이승만)

③ 문화 활동 : 독립신문 발행, 사료 편찬소

3) 국민 대표 회의

① 배경 : 연통제와 교통국 와해, 독립 운동 방향에 대한 갈등, 이승만의 위임통치 요청

② 국민 대표 회의 개최(1923) : 창조파와 개조파의 대립, 많은 독립 운동가 이탈로 대한민국 임시정부 위상 약화

03. 3·1 운동 이후 국내 민족 운동

(1) 경제적·사회적 민족 운동

1) 물산 장려 운동(1920대 초)

① 평양에서 조선 물산 장려회(조만식), 자작회 조직 → 전국적으로 확산

② '내살림 내 것으로', '조선사람 조선 것으로' : 민족 기업 육성 운동 전개

▲ 물산 장려 운동

2) 민립 대학 설립 운동

① 배경 : 초등 교육과 실업 교육에 한정, 고등 교육에 대한 대책 부재, 대학 설립 가능

② 전개 : 조선 민립 대학 기성 준비회(1923)의 모금 운동(한 민족 1천만이 한사람이 1원씩)

3) 농촌 계몽 운동

① 한글 보급 운동 : 조선일보 주도, '아는 것이 힘, 배워야 산다'

② 브나로드 운동 : 동아일보 주도, '민중 속으로'

③ 문맹퇴치 운동 : 조선어 학회의 한글 교재 제작 및 보급, 조선어 강습회 개최

4) 6 · 10 만세 운동(1926)

① 배경 : 순종의 서거, 사회주의 계열과 천도교 그리고 학생 단체의 만세 시위 추진

② 의의
· 학생들이 항일 민족 운동의 구심체로서 자신들의 역할 자각
· 학생 운동이 대중적 차원의 항일 민족 운동으로 발전

5) 신간회 결성

① 신간회 창립(1927) : 민족 유일당으로써 비타협적 민족주의 세력과 사회주의 세력이 결합

② 활동
· 강연회 · 연설회 개최, 노동 · 농민 운동 지원, 청년 · 여성 · 형평 운동과 연계
· 광주 학생 항일 운동 적극 지원
· 여성 단체 근우회와 함께 활동

> 신간회
> - 우리는 정치·경제적 각성을 촉구함
> - 우리는 단결을 공고히 함
> - 우리는 기회주의를 일체 부인함

6) 광주 학생 항일 운동(1929)

① 배경 : 통학 열차에서 일본인 남학생이 한국 여학생 희롱, 한일 학생 사이에 충돌 발생

② 전개 : 광주 지역 학생 총궐기, 전국적 시위로 확산, 신간회 진상 조사단 파견 및 민중 집회 계획

③ 의의 : 3 · 1 운동 이후 최대 규모의 항일 민족 운동

7) 사회 운동

① 농민 운동 전개 : 소작료 인하, 소작권 이동 반대, 암태도 소작 쟁의(1923)

② 노동 운동 전개 : 임금 인상, 노동 조건 개선, 원산 노동자 총파업(1929)

③ 소년 운동 : 천도교 소년회(방정환), 어린이날 제정

④ 여성 운동 : 근우회(민족 유일당 운동), 여성에 대한 봉건적 차별 극복

⑤ 형평 운동 : 백정에 대한 차별 폐지 주장, 조선 형평사 창립(1923)

형평 대회 취지문

공평은 사회의 근본이고 애정은 인류의 본령이다. 그러한 까닭으로 우리는 계급을 타파하고 모욕적 칭호를 폐지하여, 우리도 참다운 인간이 되는 것을 기하자는 것이 우리의 주장이다.

8) 국외 이주 동포의 활동과 시련

① 만주 : 독립운동 기지 건설, 봉오동 전투, 청산리 대첩, 간도참변(1920)

② 연해주 : 자유시 참변, 소련에 의해 중앙아시아로 강제 이주

③ 일본 : 유학생, 관동대지진 때 조선인 학살, 징용, 징병

(2) 민족 문화 수호 운동

1) 한국사의 왜곡

① 일제의 식민 사관 : 정체성론, 타율성론, 당파성론

② 조선사 편수회 : 식민 사관 유포, 조선사 발간, 청구학회를 내세워 식민 사관 전파

2) 조선어 학회(1931~1942)

① 활동 : 조선어 연구회 계승, 한글 맞춤법 통일안 제정, 한글 표준어 제정, 우리말 큰사전 편찬 시도

② 조선어 학회 사건(1942) : 일제의 조선어 말살 정책 → 조선어 학회 강제 해산, 사전 편찬 작업 중단

3) 민족주의 역사학

① 박은식 : 민족의 '혼' 강조,「한국통사」,「한국독립운동지혈사」등

② 신채호 : 민족주의 역사학의 기틀 마련, 묘청의 서경천도 운동을 높이 평가, '역사는 아와 비아의 투쟁' 강조, 일본의 고대사 왜곡에 대항,「조선상고사」,「조선사연구초」

4) 종교계 활동

① 천도교 : 동학에서 개칭, 3 · 1 운동 주도, 어린이날 제정(방정환), '개벽', '신여성' 잡지 간행

② 대종교 : 나철 · 오기호 등이 창시, 단군 숭배 사상, 만주(간도)에서 무장 독립 투쟁 주도

③ 불교 : 한용운 등이 조선 불교 유신회 조직

④ 원불교 : 박중빈 창시, 개간사업, 저축 운동

⑤ 개신교 : 3 · 1 운동 주도, 사립학교 설립, 신사 참배 거부 운동

⑥ 천주교 : 고아원 · 양로원 설립, 잡지 '경향' 발행

04. 무장 독립 전쟁과 건국준비 활동

(1) 무장 독립 전쟁의 전개

1) 봉오동 전투, 청산리 대첩(1920)

① 봉오동 전투 승리 : 홍범도, 대한 독립군 중심

② 청산리 대첩 : 김좌진, 북로 군정서 중심, 일제의 훈춘 사건 조작으로 독립군 추격, 백두산 근처 청산리에서 6일간의 10여 차례 접전 끝에 대승

2) 독립 전쟁의 시련

① 간도 참변(1920) : 일제가 독립군 소탕 이유로 간도의 조선인 대량 학살

② 자유시 참변(1921) : 러시아 혁명군의 독립군 무장 해제 요구, 독립군 살상 등 큰 피해

③ 미쓰야 협정(1925) : 일제와 만주 군벌의 독립군 색출에 대한 협약

3) 의열단(1919)과 한인 애국단(1931)
　① 의열단의 활동
　　· 김원봉 결성, 조선혁명선언(신채호)
　　· 일제 요인 암살, 식민 지배 기구 파괴
　　· 김익상, 김상옥, 나석주
　② 한인 애국단 결성 : 김구 조직
　　· 이봉창 : 일왕 폭살 기도
　　· 윤봉길 : 상하이 홍커우 공원 의거

4) 1930년대 초반 : 한 · 중 연합 작전 전개
　① 한국 독립군 : 지청천, 중국 호로군과 연합 → 쌍성보, 사도하자, 대전자령 전투
　　전개
　② 조선 혁명군 : 양세봉, 중국 의용군과 연합 → 흥경성, 영릉가 전투 전개

5) 한국 광복군의 창설과 활동
　① 충칭에서 한국 광복군 창설(1940), 조선 의용대 합류(1942)
　② 대일 선전 포고(1941) : 연합군 일원으로 참전
　③ 영국군과 연합작전(1943) : 인도, 미얀마 전선에서 활약
　④ 국내 진공 작전 계획(1945.9) : 미국과 함께 준비 → 일제의 항복으로 무산

(2) 건국 노력과 국제 사회 움직임
　1) 대한민국 임시정부(국외, 충칭)
　　① 조소앙의 삼균주의를 바탕으로 건국 강령 발표
　　② 일본에 선전 포고 후 한국 광복군 활동
　　③ 민주 공화국 수립 목표

　2) 조선 독립 동맹(국외, 옌안)
　　① 사회주의 계열 최창익, 허정숙, 무정 중심으로 결성
　　② 조선 의용군 창설하여 항일 투쟁, 해방 후 북한 인민군에 편입
　　③ 민주 공화국 수립 목표

3) 조선 건국 동맹(국내, 1944)

① 여운형이 건국 준비를 위하여 좌우 합작의 형태로 조직한 비밀 조직

② 8 · 15 광복 직후 조선 건국 준비 위원회로 개편하여 전국 치안 유지

③ 민주 공화국 수립 목표

4) 국제 사회의 움직임

① 카이로 회담(1943) : 최초로 국제 사회가 한국 독립을 약속

② 포츠담 회담(1945) : 카이로 선언 이행을 재확인하는 선언문 채택, 한국의 독립
재확인

1. 다음 내용과 관련된 일제의 식민 정책은?

> · 헌병에 의한 무단통치
> · 일반 관리와 교원에게 제복을 입히고 칼을 차게 함
> · 조선인에 한하여 태형 적용

① 문화 통치
② 유신 통치
③ 민족 말살 통치
④ 헌병 경찰 통치

2. 1910년대 일제는 다음과 같은 경제적 침략 정책을 실시하였다. 이를 통해 일본이 추구한 궁극적인 목적은?

> · 토지 조사령 반포   · 기한부 신고제 운영
> · 토지 조사 사업

① 토지의 약탈
② 토지의 균등한 분배
③ 자영농 확대
④ 민족의 토지 자본 확립

3. 1920년대 일제의 문화 통치 내용으로 볼 수 없는 것은?

① 한국어와 한국사 교육 금지
② 초급 학문과 기술 교육 허용
③ 우리 민족의 신문 발행 허가
④ 친일 분자 양성을 통한 민족의 이간과 분열 조장

4. 다음 자료의 내용과 일치하는 역사적인 사건은?

> · 민족 대표 33인 · 임시 정부 수립 계기
> · 민족의 독립 선언서 · 일제의 통치 방식 변화

① 3 · 1 운동
② 원산 총파업
③ 6 · 10 만세 운동
④ 광주 학생 항일 운동

5. 대한민국 임시정부와 관련된 내용으로 옳지 <u>않은</u> 것은?

① 한국광복군의 창설
② 3 · 1 운동의 전국적 확대 지원
③ 우리나라 최초의 민주공화제 정부
④ 연통제와 교통국 등의 비밀 행정 조직망

6. 다음 내용과 관련이 깊은 1920년대 독립군 전투는?

> 간도 지역에서 김좌진이 이끄는 북로 군정서를 비롯한 대한 독립군, 국민회 독립
> 군 등 여러 독립군의 연합 부대는 일본군의 대부대를 맞아 6일간 10여 차례의 전투
> 에서 일본군을 대파하는 빛나는 전과를 올렸다.

① 봉오동 전투 ② 안시성 전투
③ 쌍성보 전투 ④ 청산리 전투

7. 일제의 식민 통치 방식이 다음과 같이 전환된 계기가 되었던 사건은?

> · 헌병 경찰 제도 → 보통 경찰 제도
> · 군인 출신 총독 → 문관 총독 임명 가능
> · 한글신문 불허 → 한글신문 허용

① 3 · 1 운동 ② 홍커우 공원 의거
③ 6 · 10 만세 운동 ④ 신간회 창립

8. 다음에서 설명하고 있는 일제의 식민 지배 형태는?

> · 계기 : 3 · 1 운동
> · 목적 : 친일파를 양성하여 민족 분열
> · 내용 : 보통 경찰제 실시, 문관 총독 임명 가능

① 무단 통치   ② 문화 통치
③ 민족 말살 통치   ④ 병참기지화 정책

9. 다음 내용과 관련 있는 기관은?

> · 민주공화제 채택   · 구미위원부 설치
> · 연통제와 교통국 조직   · 한국 광복군 창설

① 독립협회   ② 독립의군부
③ 신간회   ④ 대한민국 임시정부

10. 〈보기〉의 내용과 관련된 독립군 부대는?

〈보기〉

> · 1940년 대한민국 임시정부가 충칭에서 결성
> · 본토 진입작전 및 미얀마, 인도 전선에 군대 파견

① 북로군정서   ② 조선의용군
③ 한국광복군   ④ 조선혁명군

11. 일제치하에서의 경제 수탈 정책에 해당하지 않는 것은?

① 토지조사 사업   ② 산미증식 계획
③ 브나로드 운동   ④ 병참기지화 정책

12. 다음 그림에 나타난 식민 통치 정책이 실시된 시기의 사실로 적절한 것은?

① 일본 기업 진출로 물산 장려 운동이 일어났다.

② 성과 이름을 일본식으로 고치도록 강요하였다.

③ 한글 신문 발행을 허용하였다.

④ 헌병 경찰을 통해 강압적인 식민통치를 실시하였다.

13. 다음 〈보기〉의 내용과 관계 있는 일제의 식민 정책은?

─〈보기〉─

· 일본식 성명 사용 강요

· 우리 말과 글을 쓰지 못하게 함

· 황국 신민 서사 암송 및 신사 참배 강요

	1905	1910	1920	1937	1945	
		①	②	③	④	
		을사늑약	무단 통치	문화 통치	민족 말살 통치	

14. 다음과 같은 항일 투쟁을 한 인물은?

1932년 일제는 상하이 사변을 일으켜 상하이를 차지하였다. 그리고 상하이 훙커우 공원에서 기념식을 열었다. 이때 이 인물은 폭탄을 투척하여 일본군 장성과 고관들을 다수 살상하였다. 이 사건을 계기로 중국 국민당이 한국 독립 운동 지원을 강화하였다.

① 서재필　　　　　　　② 안중근

③ 김좌진　　　　　　　④ 윤봉길

15. 다음 내용에 해당하는 종교는?

> · 단군 신앙을 토대로 나철, 오기호 등이 창시함
> · 간도, 연해주 등지의 무장 항일 운동 전개
> · 청산리 대첩을 주도한 종교 단체

① 개신교   ② 대종교
③ 천도교   ④ 원불교

16. 다음 내용과 관련 있는 1920년대의 민족 운동 단체는?

> · 민족 유일당 운동
> · 비타협적 민족주의 진영과 사회주의 진영의 이념 초월
> · 광주 학생 항일 운동 조사단 파견

① 보안회   ② 신간회
③ 독립협회   ④ 조선물산장려회

17. 다음과 관련이 깊은 민족 종교는?

> · 손병희에 의해 동학의 정통을 계승
> · '만세보' 라는 민족 신문을 발간
> · 3 · 1 운동을 주도한 종교 단체

① 불교   ② 유교
③ 대종교   ④ 천도교

18. 일제 하의 민족 문화 수호 운동에 대한 설명으로 옳지 <u>않은</u> 것은?

① 조선어 학회 : 한글 맞춤법 통일안, 표준어 제정
② 조선 · 동아일보 : 문맹 퇴치 운동을 전개
③ 조선사 편수회 : 민족주의 역사학을 계승 · 발전시킴
④ 백남운 : 한국사를 세계사의 보편적 전개 과정에 입각하여 연구

19. 다음과 관계 있는 민족주의 역사가는?

> · '낭가사상' 강조
> · 〈조선상고사〉, 〈조선사연구초〉 저술
> · 묘청의 서경 천도 운동의 자주의식을 높이 평가
> · 민족주의 역사학 기틀 마련

① 신채호   ② 안정복
③ 정인보   ④ 유득공

20. 다음 내용과 관련이 있는 인물은?

> · 대한민국 임시 정부 대통령 역임
> · '한국통사', '한국독립운동지혈사' 저술
> · 민족의 혼 강조

① 한용운   ② 백남운
③ 정약용   ④ 박은식

08

08. 현대 사회의 발전

01. 대한민국의 수립

(1) 8 · 15 광복과 신탁 통치(1945)

1) 조선 건국 준비위원회 활동
① 광복 직후 여운형 중심으로 조직, 좌 · 우익 인사의 광범위한 참여
② 치안대 및 전국에 지부 창설, 조선 인민 공화국 선포(1945.9)

2) 모스크바 3국 외상회의(1945.12)
① 미국, 영국, 소련의 3국 외무장관회의 개최
② 한반도에 민주주의 임시정부 수립, 최대 5년간의 신탁통치 실시, 미 · 소 공동위원회 개최
③ 국내 반응
　㉠ 신탁 통치 반대 : 대한민국 임시정부를 비롯한 우익, 즉각적 독립 정부 수립
　㉡ 신탁 통치 지지 : 사회주의 계열, 임시정부 수립 우선

3) 남북 협상
① 한반도 문제 유엔에 이관 → 유엔 총회(남북한 총선거 결의) → 북한의 거부 → 유엔 소총회(남한만의 단독 선거 결정 : 1948.2)
② 김구 · 김규식이 남북협상을 통한 통일 정부 수립 주장, 남북 제 정당 사회단체 지도자 협의회 참가(1948.4. 평양), 실질적인 성과 없이 종결

4) 정부 수립을 둘러싼 갈등
① 제주 4 · 3 사건 : 제주도 좌익 세력이 단독 총선거를 반대하면서 무장봉기 → 정부의 대대적인 진압으로 제주도 민간인 희생
② 여수 · 순천 10 · 19 사건 : 제주 4 · 3 사건 진압에 동원된 여수 주둔 군대 내부의 좌익 세력이 일으킨 무장 봉기

(2) 대한민국 정부 수립

1) 대한민국 정부 수립(1948.8.15)

① 5 · 10 총선거(1948) : 남한 단독 총선거 실시(남북협상 세력, 좌익 세력 불참) → 제헌 국회 구성 → 헌법 제정 공포(1948.7.17) : 국호 – 대한민국

② 대한민국 정부 수립(1948.8.15) : 대한민국 정부 수립 선포, 유엔 총회는 한반도 유일의 합법 정부 승인

③ 북한 정권 수립 : 북조선 임시 위원회가 발족(1946.2)되어 토지개혁과 친일파 처벌 등 사실상 정부 역할 → 조선 민주주의 인민 공화국 수립(1948.9)

2) 반민족 행위 처벌법 제정(1948.9) : 친일파 처벌 목적

① 내용 : 친일 행위자 처벌, 공민권 제한 → 반민족 행위 특별 조사 위원회 설치(친일 인사 조사)

② 결과 : 이승만 정부의 비협조, 친일 세력의 방해로 실패

3) 농지 개혁(1949년 제정, 1950년 시행)

① 특징 : 1가구 당 3정보 소유 상한, 유상매입 · 유상분배 방식

② 의의 : 지주 중심의 토지 소유 폐지, 농민의 토지 소유 실현

4) 6 · 25 전쟁(1950.6 ~ 1953.7)

① 북한의 남침 → 서울 함락과 낙동강 전선 형성 → 유엔군 참전 → 인천상륙 작전 → 서울 수복, 평양과 압록강까지 진출 → 중국군 개입 → 1 · 4 후퇴, 서울 재함락 → 38도선 부근 교착 → 휴전 회담 진행 → 휴전 협정

② 전쟁 이후 : 한미 상호 방위 조약 체결(미군 주둔), 미국의 무상 원조 처분, 삼백 산업 발달

02. 민주주의 발전

(1) 권위주의적 정부

1) 이승만 정부(1948~1960) : 발췌 개헌(1952), 사사오입 개헌(1954), 진보당 사건(조 봉암 처형), 국가 보안법 개정

2) 4 · 19 혁명(1960)

① 원인 : 이승만의 독재, 자유당의 부정부패, 미국의 경제 원조 감소로 인한 경제 불황, 3 · 15 부정 선거

② 전개 : 마산 의거(김주열 학생 주검으로 절정) → 고려대 학생 시위 → 학생과 시민 시위, 경찰의 총격, 계엄령 선포 → 대학 교수단 시위 → 이승만의 대통령직 사임 → 허정 과도 정부 수립

③ 장면 내각(1960~1961) : 내각 책임제, 양원제 의회, 자유 민주주의 실현을 위해 노력, 사회 질서 유지를 위한 정치력 부족 → 5 · 16 군사 정변으로 붕괴

3) 박정희 정부(1963 ~ 1979)

① 경제 개발 5개년 계획 : 성장 우선 정책, 수출 주도형, 외국 자본 도입

② 한 · 일 국교 정상화(1965), 베트남 파병(1964 ~ 1973), 3선 개헌(1969)

③ 유신 헌법(1972) 내용 : 대통령 간선제(통일 주체 국민 회의에서 선출), 대통령 권한 강화(긴급 조치권, 국회 해산권, 국회의원 1/3 추천권)

(2) 민주화 운동과 민주주의 발전

1) 5 · 18 민주화 운동(1980)

① 배경 : 신군부의 집권과 비상계엄 확대에 반대하는 대규모 시위

② 전개 : 광주 시민들이 시위대에 합류, 계엄군의 과잉 진압으로 많은 사상자 발생 → 시민군 조직, 계엄군에 저항 → 계엄군의 무력으로 시민군 진압

2) 6월 민주 항쟁(1987)

① 전두환 정부(1981) : 헌법 개정(대통령 간선제, 7년 단임), 삼청교육대 운영, 언론 통폐합, 야간 통행금지 해제, 교복과 두발 자유화, 해외여행 자유화

② 6월 민주 항쟁(1987) : 박종철 고문치사 사건, 4 · 13 호헌 조치(대통령 직선제 거부) → 전국적 시위로 발전, 이한열 최루탄 피격, 6월 민주 항쟁 → 6 · 29 민주화 선언(직선제 개헌 약속)

3) 민주주의 발전

① 노태우 정부 : 여소야대, 3당 합당, 5 · 18 민주화 진상 규명 청문회, 북방외교, 남북한 UN 동시 가입

② 김영삼 정부 : 금융실명제, 지방자치제 전면 시행, 역사바로세우기(전직 대통령 구속, 총독부 건물 제거), OECD(경제 협력 개발 기구) 가입, IMF(국제 통화 기금) 지원 요청

③ 김대중 정부 : 최초 평화적 여야 정권 교체, 외환위기 극복, 최초 남북 정상 회담

④ 노무현 정부 : 권위주의 청산, 정경유착 단절, 제2차 남북 정상 회담

03. 경제 발전과 사회 · 문화 발전

(1) 경제 개발 5개년 계획과 경제 성장

1) 1950년대 경제 정책

① 삼백 산업 : 제분, 제당, 면방직 공업의 발달, 비료 공장과 시멘트 공장 건립

② 정경유착 : 원조 물자 불하 과정에서 특정 기업 혜택

2) 제1차, 2차 경제 개발 5개년 계획(1962 ~ 1971)

① 박정희 정부 : 수출 주도형의 성장 우선 정책, 외자 도입에 노력

② 내용 : 수출 중심 전략, 노동 집약적 산업 육성, 사회 간접 자본 확충(경부고속국도 건설)

3) 제3차, 4차 경제 개발 5개년 계획(1972 ~ 1981)

① 내용 : 중화학 공업 집중 육성, 새마을 운동 지속적인 추진

② 위기 : 제1차 석유 파동(중동 건설 붐으로 극복), 제2차 석유 파동(중화학 공업 과잉 투자, 경제 성장률 감소)

(2) 1980년대 이후의 경제

1) 전두환 정부 : 3저 호황(저금리, 저유가, 저달러)으로 무역 흑자 달성

2) 김영삼 정부

① OECD 가입, 개방화 · 국제화 추진, 금융 실명제 실시, 신경제 5개년 계획 발표,

② 외환 위기로 국제 통화 기금(IMF)의 긴급 금융 지원(1997)

3) 김대중 정부

① 신자유주의 경제 정책을 바탕으로 외환 위기 극복, 노사정 위원회 구성

② 노동자 대량 해고, 일부 은행과 기업 해외 매각

(3) 사회·문화 변화

1) 산업화, 도시화, 정보화

① 산업 구조의 변화 : 농업 인구의 감소, 서비스 산업과 제조업 분야의 인구 증가

② 도시화 : 농촌 인구의 도시 이동, 도시 생활 확산

③ 정보화 : 경제 발전, 능력 중심의 사회 풍토 조성

2) 새마을 운동

① 배경 : 공업화 정책, 저곡가 정책으로 도시와 농촌 간 소득 격차 심화, 농촌 인구의 감소

② 새마을 운동 : 1970년 근면·자조·협동을 토대로 농어촌 근대화 추구, 도·농 간 균형 있는 발전 추구

3) 노동 운동

① 1970년대 전태일 분신 사건을 계기로 노동 운동 본격화

② 1990년대 새로운 전국 조직 결성으로 양대 조직 체제 형성(한국노총과 민주노총)

04. 평화 통일을 위한 노력과 동아시아의 역사와 영토 갈등

(1) 통일을 위한 노력

1) 박정희 정부 : 7·4 남북 공동 성명(1972)

① 통일의 3대 원칙 발표, 남북 조절위원회 설치

② 통일의 3대 원칙 – 자주, 평화, 민족 대단결

2) 노태우 정부 : 남북 기본 합의서(1991)

① 소련과 동유럽 사회주의 국가 붕괴, 남북 고위급 회담 추진, 남북 유엔 동시 가입

② 남북 정부 간의 최초의 공식 합의서, 상호 불가침 합의, 상호 간의 체제 인정

3) 김대중 정부 : 6·15 남북 공동 선언(2000)

① 대북 화해 협력 정책, 남북 교류 확대, 금강산 관광, 경의선 복구 시작

② 남북 정상 회담(2000) : 분단 이후 최초로 평양에서 개최

③ 개성공단 설치 합의

(2) 동아시아의 역사와 영토 갈등

1) 일본과 갈등

① 독도 영유권 주장, 야스쿠니 신사 참배 전개

② 일제 강점기 여성에 대한 군 위안부 문제 부인

2) 중국과 갈등

① 동북 공정 : 고구려는 중국의 소수 민족이 세운 지방 정권이라는 연구 부각

만주 지역 중국 영향력 강화

1. 다음 내용을 선언하여 한국의 독립을 최초로 결의한 국제 회의는?

> "한국 인민의 노예 상태를 유의하여, 석당한 시기에 한국을 해방시키며 독립시킬 것을 결의한다."

① 카이로 회담   ② 얄타 회담

③ 포츠담 선언   ④ 모스크바 3국 외상회의

2. 다음은 1949년 이승만 정부에서 제정한 농지 개혁법의 기본 원칙이다. 이 개혁의 실시 목적으로 옳은 것은?

> · 3정보 소유 상한   · 유상 매입 · 유상 분배

① 한국 정부의 토지 국유화 확대
② 지주제 강화를 통한 소작제 활성화
③ 농민의 토지 소유 확대로 자영농 육성
④ 친일 재산 귀속으로 정부 소유 토지 확보

3. 다음에서 설명하고 있는 기구는?

> · 제헌 국회에서 구성됨
> · 친일파를 처벌하여 민족정기를 바로잡기 위함
> · 이승만 정부의 소극적 태도로 사실상 무산됨

① 조선 건국 준비 위원회   ② 국가 재건 최고 회의
③ 좌우합작 위원회   ④ 반민족 행위 특별 조사 위원회

4. 광복 후 대한민국 정부 수립 과정에서 신탁 통치를 결정하여 좌익과 우익의 격렬한 대립을 가져와 국론 분열을 일으킨 사건은?

① 카이로 회담   ② 포츠담 선언
③ 모스크바 3국 외상회의   ④ 얄타 회담

5. 광복 이후 분단을 막기 위해 남북 협상을 주도한 인물로 바르게 묶인 것은?

① 김구, 김규식   ② 이승만, 송진우

③ 여운형, 안재홍   ④ 신익희, 조병옥

6. 대한민국 정부 수립을 국내외에 선포한 날은?

① 1945년 8월 15일   ② 1948년 5월 10일

③ 1948년 7월 17일   ④ 1948년 8월 15일

7. 다음과 같은 역사적 사건과 관련된 인물은?

· 발췌개헌 · 사사오입 개헌 · 진보당 사건

① 이승만   ② 윤보선   ③ 박정희   ④ 전두환

8. 다음에 해당하는 사건은?

· 원인 : 3 · 15 부정 선거(1960년)   · 결과 : 이승만 하야, 허정 과도 정부, 내각 책임제, 양원제 국회

① 4 · 19 혁명   ② 10 · 26 사태

③ 5 · 18 민주화 운동   ④ 6월 민주 항쟁

9. 1972년 유신 체제 성립 이후 박정희 대통령의 장기집권을 뒷받침했던 기구는?

① 통일 주체 국민회의   ② 국가 재건 최고 회의

③ 조선 건국 준비 위원회   ④ 좌우합작 위원회

10. 다음 중 현대사의 발전 과정에서 정권 연장을 목적으로 일어난 사건이 <u>아닌</u> 것은?

① 사사오입 개헌   ② 4 · 19 혁명

③ 발췌 개헌   ④ 10월 유신

11. 다음 중 민주화를 위한 노력으로 볼 수 <u>없는</u> 것은?

① 4 · 19 혁명   ② 5 · 16 군사 정변

③ 6월 민주 항쟁   ④ 5 · 18 민주화 운동

12. 다음 정책을 실시한 정부는?

· 베트남 파병	· 한 · 일 국교 정상화
· 새마을 운동	· 경제 개발 5개년 계획 실시

① 이승만 정부   ② 박정희 정부

③ 김대중 정부   ④ 노무현 정부

13. 다음 〈보기〉의 역사적 사실을 순서대로 나열한 것은?

───〈보기〉───

가. 4 · 19 혁명	나. 5 · 18 민주화 운동
다. 6월 민주 항쟁	

① 가 – 나 – 다   ② 가 – 다 – 나

③ 나 – 가 – 다   ④ 다 – 나 – 가

14. 5년 단임의 현행 대통령 직선제 헌법 개정의 직접적인 배경이 된 사건은?

① 4 · 19 혁명   ② 6월 민주 항쟁

③ 10월 유신   ④ 5 · 16 군사 정변

15. 다음 (가) 시기와 관련 있는 사건은?

① 4 · 19 혁명　　　　　　　　② 10 · 26 사태
③ 6월 민주 항쟁　　　　　　　④ 5 · 18 민주화 운동

16. 다음 사건들의 결과로 일어난 것은?

· 박종철 고문 사망 사건	· 4 · 13 호헌 조치

① 4 · 19 혁명　　　　　　　　② 10월 유신
③ 6월 민주 항쟁　　　　　　　④ 12 · 12 사태

17. 다음에서 설명하는 내용과 관련 있는 정부는?

· 금융 실명제 실시
· 총독부 건물 철거, 두 전직 대통령 구속
· IMF 금융 지원 요청

① 이승만 정부　　　　　　　　② 김영삼 정부
③ 김대중 정부　　　　　　　　④ 노무현 정부

18. 다음 설명에 해당하는 것은?

· 1972년 서울과 평양에서 동시에 발표
· 자주 · 평화 · 민족 대단결의 통일 원칙을 내세움
· 남북조절 위원회 설치

① 7 · 4 남북 공동 성명
② 6 · 15 남북 공동 선언
③ 한반도의 비핵화에 관한 공동 선언
④ 화해와 불가침 및 교류 · 협력에 관한 합의서

19. 다음 내용에 해당하는 사건은?

> · 남북한 고위급 회담
> · 남북한 상호 간의 체제 인정
> · 남북 화해와 교류 협력에 관한 합의서

① 7 · 4 남북 공동 성명
② 6 · 15 남북 공동 선언
③ 한반도의 비핵화에 관한 공동 선언
④ 남북 기본 합의서

20. 2000년 6 · 15 공동 선언에 대한 내용으로 옳지 않은 것은?

① 남북한 최초의 정상회담에서 합의
② 통일에 대한 과정의 공통적 방향 인식
③ 통일에 대한 3대 원칙 제시
④ 금강산 관광 개발, 개성공단 설치 합의

실전모의고사
1, 2회 풀어보기

1. (가) 시기의 생활 모습으로 옳은 것은?

(가)	신석기 시대	청동기 시대	철기 시대

① 계급사회
③ 토테미즘 사상
② 이동 생활
④ 농경 생활

2. 다음 〈보기〉의 내용과 관련이 있는 철기 시대 나라는?

─── 〈보기〉 ───
· 동맹(추수감사제)
· 서옥제(데릴사위제)
· 제가회의
· 약탈경제

① 고구려
③ 동예
② 부여
④ 옥저

3. 4세기 우리나라의 상황에 대한 설명으로 옳은 것은?

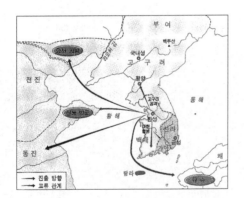

① 고조선이 멸망하였다.
② 고구려는 당을 안시성에서 물리쳤다.
③ 백제는 해외로 진출하여 세력을 확장하였다.
④ 고구려는 남한강 유역으로 진출하였다.

4. 다음 설명에 해당하는 제도를 가진 나라는?

· 청소년 수련단체인 화랑도
· 엄격하고 폐쇄적인 골품제도

① 백제
③ 신라
② 발해
④ 고구려

5. 신라 하대에 나타난 사회 현상으로 옳은 것은?

① 지방 호족 세력의 성장
② 신진 사대부 세력의 대두
③ 9주 5소경의 지방제도 정비
④ 녹읍 폐지와 관료전 지급

6. 다음 활동과 관련이 깊은 신라의 승려는?

· 불교의 대중화에 공헌
· 불교의 종파 융합에 기여
· 불교의 이해 기준 확립

① 원효   ② 의천   ③ 지눌   ④ 혜초

7. 〈보기〉와 관련 있는 역사적 사실은?

─── 〈보기〉 ───
· 거란 3차 침입   · 강감찬

① 살수대첩   ② 청산리대첩
③ 귀주대첩   ④ 행주대첩

8. (가)에 들어갈 내용으로 가장 적절한 것은?

주제 : [(가)   ]

고구려 온돌장치 계승

통일신라와 더불어 남북국 시대를 이룸

해동성국이라 불림

① 백제에 대한 설명   ② 고조선에 대한 설명
③ 발해에 대한 설명   ④ 가야에 대한 설명

9. 다음 (가)에서 설명하는 고려의 역사서는?

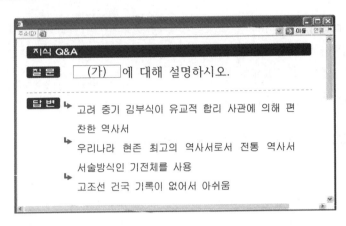

① 삼국사기   ② 동국통감

③ 발해고   ④ 고려사

10. 고려 시대의 지방 행정 조직에 대한 설명으로 옳은 것은?

① 향리는 수령의 실무를 보좌하였다.
② 모든 군현에 지방관을 파견하였다.
③ 전국을 8도로 나누었다.
④ 향, 소, 부곡이라는 특수 행정 구역이 있었다.

11. 다음 권한을 행사한 고려의 관리 또는 관청은?

·간쟁	·봉박	·서경

① 대간   ② 중서문하성

③ 중추원   ④ 향리

12. 다음에서 설명하는 서적은?

> · 조선 시대 세조 때 시작하여 성종 때 반포
> · 조선의 기본 법전
> · 통치규범의 성문화를 이룸

① 칠정산   ② 경국대전
③ 대전통편   ④ 조선왕조실록

13. 병자호란에 대한 설명으로 옳은 것은?

① 이순신 장군의 활약으로 국난을 극복할 수 있었다.
② 일본의 정권이 에도 막부로 교체되었다.
③ 경복궁이 소실되었다.
④ 남한산성에서 항전하였다.

14. (가) 시기에 영조와 정조가 선택했던 정책은?

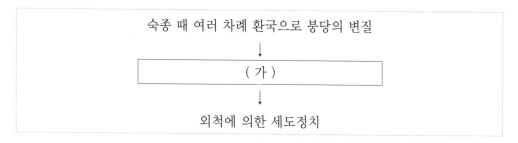

숙종 때 여러 차례 환국으로 붕당의 변질
↓
(가)
↓
외척에 의한 세도정치

① 통상수교 거부정책   ② 탕평 정치
③ 4군 6진 개척   ④ 중립 외교

15. 조선 후기의 경제적 변화에 대한 설명으로 옳지 않은 것은?

① 이앙법과 광작이 유행하였다.   ② 목화가 전래되었다.
③ 장시가 발달하였다.   ④ 금난전권이 폐지되었다.

16. 다음 중 조선 후기의 체제 개편이 <u>아닌</u> 것은?

① 대동법 실시   ② 영정법 실시

③ 화백회의 강화   ④ 훈련도감 설치

17. 다음 중 강화도 조약에 대한 내용으로 옳은 것은?

① 외교권 박탈   ② 영사재판권 허용

③ 신분제 폐지   ④ 단발령

18. 다음 중 갑신정변에서 주장한 내용을 모두 고른 것은?

가. 문벌 폐지	나. 왜와 통하는 자 엄벌
다. 지계 발급	라. 내각 강화

① 가, 나   ② 나, 다

③ 가, 라   ④ 나, 라

19. 다음 내용과 관계 깊은 것은?

· 고종이 러시아 공사관으로 거처를 옮김
· 열강의 이권 침탈 본격화

① 임오군란   ② 갑신정변

③ 관민공동회   ④ 아관파천

20. 다음에서 설명하고 있는 애국계몽 단체는?

> · 비밀결사 조직
> · 105인 사건으로 해체
> · 국외 : 만주에 독립운동 기지 건설
> · 국내 : 대성학교, 오산학교 설립

① 조선 교육회   ② 대한자강회

③ 신민회   ④ 보안회

21. 다음에서 설명하는 일제 강점기 민족운동은?

> · 학생들의 농촌 계몽 활동
> · 조선일보 '문자보급' 운동
> · 동아일보 '브나로드' 운동

① 문맹퇴치 운동   ② 물산장려 운동

③ 조선 형평 운동   ④ 국채보상 운동

22. 다음에서 설명하는 민족 문화 수호 운동 단체는?

> · 한글 맞춤법 통일안과 표준어 제정
> · 우리말 큰사전 편찬 준비

① 신간회   ② 대한민국 임시정부

③ 조선어 학회   ④ 한인 애국단

23. 1937년 중·일 전쟁 이후 일제의 식민지 정책이 <u>아닌</u> 것은?

① 일본식 성명 강요   ② 신사참배

③ 황국신민화   ④ 한글신문 허용

24. 다음 중 박정희 정부와 관련이 있는 것은?

① 평화적 정권 교체가 이루어졌다.
② 지방자치제가 전면 실시되었다.
③ 경부고속국도가 건설되었다.
④ 4 · 19 혁명으로 권력에서 물러났다.

25. 〈보기〉의 통일정책과 관련 있는 정부는?

──────── 〈보기〉 ────────

· 남북한 최초 정상 회담 개최
· 통일에 대한 방향성 공동 인식
· 경의선 연결과 개성공단 설치를 통한 경제 협력

① 박정희 정부   ② 노태우 정부
③ 김영삼 정부   ④ 김대중 정부

1. 다음에서 설명하는 선사시대는?

> '00시대 유물관'을 찾아주셔서 감사합니다. 이 시기의 사람들은 옆에 전시된 비파형 동검을 사용하였습니다.

① 구석기 시대　　　　　② 신석기 시대
③ 청동기 시대　　　　　④ 철기 시대

2. 다음에서 설명하는 국가는?

> · 한강유역을 중심으로 건국되었다.
> · 요서, 산둥반도, 규슈까지 세력을 확장하였다.
> · 일본과 교류가 활발하여 유학과 불교 등 많은 문화를 전파하였다.

① 고구려　　　　　② 백제
③ 신라　　　　　　④ 가야

3. 다음 삼국의 왕들을 통해 알 수 있는 사실은?

> · 소수림왕　　　· 고이왕　　　· 법흥왕

① 율령반포를 통한 통치체제 확립
② 왕위 세습제를 통한 고대국가 기틀 마련
③ 한강유역을 차지하기 위한 활발한 정복활동
④ 불교 수용을 통한 왕권 뒷받침

4. 다음 중 발해가 고구려 계승 국가임을 증명하는 것은?

① 온돌 장치를 이용하여 난방을 하였다.
② 3성 6부제의 중앙정치조직을 계승하였다.
③ 왕궁 앞에 주작대로를 만들었다.
④ 주민 대부분이 말갈인으로 구성되었다.

5. 신라의 토지 제도로 귀족에게 수조권과 노동력 징발권을 지급한 것은?

① 전시과   ② 공음전
③ 직전법   ④ 녹읍

6. 다음 고려 태조 왕건에 대한 설명으로 옳지 않은 것은?

> 고려를 건국한 태조는 민생안정을 위해 ㉠조세를 감면하고, ㉡정략적인 혼인정책을 통해 호족 세력을 통합하였다. 또한 ㉢북진정책을 통해 ㉣쌍성총관부를 탈환하여 영토를 청천강까지 확장시켰다.

① ㉠   ② ㉡   ③ ㉢   ④ ㉣

7. 고려 숙종 때 윤관이 별무반을 편성했던 목적은?

① 왜구 격퇴   ② 여진 정벌
③ 거란 침입 대비   ④ 몽골 침입 격퇴

8. 다음에서 설명하는 고려 국왕은?

> 노비를 조사해 옳고 그름을 밝혀 양인으로 풀어주었다. 또한 과거제를 도입하여 개인의 학문적 성적에 따라 관리를 선발하였다.

① 광종   ② 성종
③ 인종   ④ 의종

9. 다음에서 설명하는 고려의 신분은?

> · 직역을 세습
> · 서리, 향리, 하급관리 등이 속함
> · 하급의 지배층

① 귀족   ② 중류층

③ 양민   ④ 천민

10. 고려 귀족 문화의 특징을 반영하고 있는 문화재는?

①    ②    ③    ④

11. 다음에서 설명하는 조선 시대 교육 기관은?

> · 주로 8~9세 나이에 입교
> · 초등 교육과정을 받는 사립교육기관

① 서당   ② 향교

③ 성균관   ④ 서원

12. 다음 내용과 관련된 조선시대의 인물은?

> · 현량과 설치   · 향약 보급
> · 유교적 이상 정치 추구   · 기묘사화

① 이황   ② 조광조

③ 이성계   ④ 송시열

13. 다음 중 조선 후기 사회 모습에 대한 설명으로 옳은 것은?

① 엄격한 신분제로 신분을 상승할 수 없었다.
② 화폐보다는 쌀이나 삼베가 주로 이용되었다.
③ 귀족문화가 발달하여 상감청자가 유행하였다.
④ 이앙법과 광작이 확대되었다.

14. 19세기 세도정치 시기에 일어난 대표적 농민봉기로 평안도 지역 차별에 대한 불만으로 일어난 사건은?

① 홍경래의 난   ② 만적의 난
③ 원종과 애노의 난   ④ 망이 · 망소이의 난

15. 다음에서 설명하는 실학자는?

> · 수레와 선박 이용
> · '북학의' 저술
> · 절약보다 소비 강조

① 정약용   ② 홍대용   ③ 유득공   ④ 박제가

16. 흥선 대원군의 대외정책과 관련이 깊은 역사적 사실을 모두 고른 것은?

가. 병인양요	나. 갑신정변
다. 척화비 건립	라. 아관파천

① 가, 나   ② 가, 다   ③ 나, 다   ④ 나, 라

17. 다음 중 동학농민 운동과 관련이 <u>없는</u> 것은?

① 집강소를 설치하였다.
② 노비제 폐지를 주장하였다.
③ 근대적 국민국가 건설을 주장하였다.
④ 토지는 농민에게 평등하게 분배할 것을 주장하였다.

18. 다음의 근대화 시기 사건들을 순서대로 나열한 것은?

| 가. 동학농민 운동 | 나. 을미개혁 |
| 다. 아관파천 | 라. 대한제국 |

① 가 – 나 – 다 – 라   ② 가 – 다 – 라 – 나
③ 다 – 라 – 가 – 나   ④ 라 – 나 – 가 – 다

19. 다음 중 대한 제국 시기에 일어난 의병의 원인이 <u>아닌</u> 것은?

① 외교권 박탈   ② 아관파천
③ 고종 강제 퇴위   ④ 군대 해산

20. 근대화 시기에 발행된 신문에 대해서 옳게 설명한 것은?

① 한성순보 : 순한글 신문
② 독립신문 : 을사늑약에 대한 항일 논설 기재
③ 대한매일신보 : 국채보상운동에 적극적 참여
④ 황성신문 : 최초의 근대 신문

21. 1920년대 문화 통치 시기의 일제의 경제 수탈은?

① 토지조사 사업   ② 산미증식 계획
③ 병참기지화 정책   ④ 남면북양 정책

22. 다음 설명에 해당하는 학생운동은?

· 광주에서 한 · 일 학생 간의 다툼에서 비롯
· 신간회에서 지원
· 3 · 1 운동 이후 최대의 민족 운동

① 보안회   ② 광주학생 항일 운동
③ 독립협회   ④ 조선 형평 운동

23. 다음과 관계 있는 민족주의 역사가는?

> · 민족주의 역사학 기틀 마련
> · 〈조선상고사〉, 〈조선사연구초〉 저술
> · 묘청의 서경 천도 운동의 자주의식을 높이 평가

① 신채호   ② 안정복
③ 정인보   ④ 박은식

24. 1980년대 경제 상황에 해당하는 것은?

① 삼백 산업 발달
② 경부고속국도 건설
③ 경공업 집중
④ 3저 호황

25. 평화통일을 위한 노력 중 다음 사실과 관련이 깊은 것은?

> · 남북 고위급 회담 개최
> · 남북 상호 간 체제 인정
> · 교류와 협력에 관한 합의

① 7 · 4 남북 공동 성명
② 남북 기본 합의서 채택
③ 남북 정상 회담
④ 6 · 15 남북 공동 선언

정답 및 해설

단원별확인문제
실전모의고사 1, 2

단원확인문제

01. 우리 역사의 시작

1. ②	2. ①	3. ①	4. ④	5. ②
6. ③	7. ③	8. ③	9. ②	10. ①
11. ③	12. ②	13. ②	14. ④	15. ③
16. ④	17. ①	18. ③	19. ④	20. ④

1. ① 고인돌 : 청동기 시대 ③ 반달돌칼 : 청동기 시대 ④ 빗살무늬 토기 : 신석기 시대

2. ② 농경 생활의 시작 : 신석기 시대 ③ 애니미즘, 토테미즘 : 신석기 시대 ④ 제정일치 사회 : 청동기 시대

3. 신석기 시대에는 강가나 해안가에 움집을 짓고 부족사회를 이루고 있었다. ② 고인돌 : 청동기 시대 ③ 동굴 유적 : 구석기 시대 ④ 돌널무덤 : 청동기 시대

4. 〈보기〉의 자료는 빗살무늬 토기와 움집터로 신석기 시대를 말한다.
① 사유 재산과 계급사회 : 청동기 시대 ② 비파형 동검 : 청동기 시대 ③ 사냥과 채집 활동으로 이동 생활 : 구석기 시대

5. ① 신선사상 : 도교와 관련 ③ 토테미즘 : 동·식물에 대한 숭배 ④ 샤머니즘 : 무격신앙, 인간과 신을 연결하는 매개체 존재

6. 민무늬 토기는 청동기 시대를 대표하는 유물이다.

7. ① 비파형 동검 : 계급사회를 의미하는 청동검 ② 가락바퀴 : 실 뽑는 기구 ③ 반달돌칼 : 추수용 농기구 ④ 빗살무늬 토기 : 저장과 조리에 사용

8. 고인돌과 비파형 동검은 강력한 지배 계급의 출현을 의미한다.

9. 신석기 시대 이후로 정착 생활을 시작되고 청동기 시대를 통해서 국가의 모습을 갖추면서 우리 민족이 형성되기 시작하였다. 구석기 시대는 한반도에 거주한 흔적은 있지만 이동 생활을 하기에 우리 민족이라고 단정하여 말할 수 없다.

10. ① 농경 생활하는 씨족사회 : 신석기 시대

11. 고인돌, 비파형 동검, 미송리식 토기는 고조선의 세력 범위를 알려주는 유물이다.

12. 고조선의 8조법에 도둑질한 자는 노비로 삼는다고 했는데 노비라는 단어는 계급사회를 의미한다.

14. ① 옥저 : 민며느리제, 가족 공동무덤 ② 동예 : 무천, 책화 ③ 부여 : 영고, 사출도

15. ① 고구려 : 동맹, 서옥제 ② 옥저 : 민며느리제, 가족 공동무덤 ④ 부여 : 영고, 사출도

16. ① 가야 : 낙동강 유역, 벼농사 발달, 철기 문화 발달 ② 백제 : 한강 유역에서 국가를 세움 ③ 신라 : 박혁거세 이후 석씨와 김씨가 왕위에 오르면서 박·석·김 세성이 번갈아 왕위를 차지함. 신라 내물왕 때부터 김씨 세습제로 확립

17. ② 담로 : 백제 무령왕 때 지방 세력 견제 이유로 설치한 특수행정 구역 ③ 소경 : 신라 경주의 편재성을 극복하기 위해 지방의 중심지 설정 ④ 부곡 : 고려 시대 특수행정 구역

18. 〈보기〉에서 설명하는 풍습은 책화라고 하는 것으로 동예의 것이다.

19. ① 부여 : 영고, 사출도 ② 고구려 : 동맹, 서옥제 ③ 옥저 : 민며느리제, 가족 공동무덤

20. ① 부여 : 영고, 사출도 ② 삼한 : 소도, 벼농사 발달 ③ 고구려 : 동맹, 서옥제

02. 고대 국가의 성장

1. ②	2. ④	3. ③	4. ④	5. ②
6. ①	7. ①	8. ④	9. ③	10. ④
11. ①	12. ①	13. ②	14. ④	15. ①
16. ①	17. ②	18. ②	19. ③	20. ③

1. 〈보기〉 유물은 가야연맹의 수레토기와 철제 갑옷이다. 가야연맹은 삼국과 달리 중앙집권적 고대 국가의 성격을 갖추지 못하였다.

2. ① 대대로 : 고구려 수상 ② 마립간 : 신라 내물왕부터 왕의 호칭, 신라는 지증왕 때 '왕'이란 호칭을 사용하였다. ③ 이사금 : 신라의 마립간 호칭 이전의 왕에 대한 호칭

3. 가야는 고대국가적 성격을 갖지 못하고 신라에 복속되었다.

4. 지도의 상황은 고구려 장수왕 시기를 보여준다. 장수왕은 평양으로 천도하고 영토를 남한강 유역까지 확장하였다. ① 백제 요서 진출 : 4세기 근초고왕 ② 신라 단양적성비 : 6세기 진흥왕 ③ 신라 금관가야 정복 : 6세기 법흥왕

5. 〈보기〉의 왕들은 삼국시대 영토 확장 군주들이다. ① 율령 반포 : 소수림왕, 고이왕, 법흥왕 ③ 불교 공인 : 소수림왕, 침류왕, 법흥왕 ④ 중국의 산둥반도 공격 : 발해 무왕 때 장문휴

7. 삼국의 통일 과정에서 첫 번째 사건은 백제의 멸망이다. 이 때 계백 장군이 황산벌에서 신라의 김유신을 맞아 결사항전을 했지만 패배하였다. 두 번째 사건은 고구려의 멸망이다. 지도층의 내분으로 정치가 흔들리고, 나당의 연합으로 평양성이 함락되면서 고구려가 무너졌다. 마지막으로 당을 대동강 이북으로 몰아내는 나당전쟁이다. 신라는 매소성, 기벌포 전투의 승리로 당을 몰아내었다.

8. ① 지방 호족 세력의 성장 : 신라 하대 ② 신진 사대부 세력 대두 : 고려 말 ③ 6두품의 반신라 세력화 : 신라 하대

9. ① 연개소문 : 고구려의 장수 ② 이종무 : 조선 세종 때 쓰시마섬 정벌 ④ 이순신 : 조선의 임진왜란을 극복시킨 장군

10. ① 서희 : 고려 거란의 1차 침입 때 강동 6주 획득 ② 강감찬 : 고려 거란의 3차 침입 때 귀주대첩 ③ 윤관 : 고려 여진 정벌로 동북 9성을 쌓음

11. ① 칠지도 : 백제와 왜의 교류 관계 증명 ② 현무도 : 고구려 사신도, 도교 ③ 금관 : 신라의 금속 공예 ④ 돌사자상 : 발해

12. ② 의천 : 고려 해동 천태종 창시 ③ 지눌 : 고려 조계종 창시 ④ 혜초 : 통일신라 때 왕오천축국전 저술

13. 골품제도는 엄격하고 폐쇄적인 신라의 신분 제도이다. ②는 화랑도의 기능

14. ① 호적대장 : 인구 ② 토지대장 : 토지 ③ 공물대장 : 각 지역 토산물

15. ② 골품제도 : 신라의 엄격하고 폐쇄적인 신분제도 ③ 진대법 : 고구려의 춘대추납법 ④ 9서당 : 통일신라의 중앙군

17. 가. 미륵사지 석탑 : 백제
나. 황룡사 9층 목탑 : 신라, 몽골 침입 때 소실
다. 불국사 3층 석탑 : 통일신라
라. 정림사지 5층 석탑 : 백제

18. ① 호포법 : 조선 후기 흥선 대원군이 양반과 농민에게 군포를 부과한 법 ③ 대동법 : 조선후기 공납을 개혁하여 토산물을 쌀로 납부하게 한 법 ④ 영정법 : 조선후기 토지 1결 당 쌀 4~6두로 고정하여 납부하게 한 법

19. ③ 담징은 고구려의 승려로 일본에 종이와 먹 제조법을 전파하고 호류사에 금당 벽화를 남김

03. 고려 귀족 사회 형성과 발전

1. ③	2. ②	3. ②	4. ②	5. ④
6. ④	7. ②	8. ③	9. ①	10. ③
11. ④	12. ②	13. ④	14. ①	15. ①
16. ①	17. ③	18. ③	19. ④	20. ③

1. ① 신흥 무인 세력 – 조선 건국 세력 ② 문벌 귀족 – 고려 중기 지배 세력 ④ 신진 사대부 – 조선

건국 세력

2. ① 태조 : 혼인정책, 북진정책, 숭불정책 ③ 성종 : 유교 정치 이념 실현, 체제 정비, 국자감, 불교 행사 축소 ④ 공민왕 : 반원 개혁 정책, 쌍성총관부 탈환

3. ① 취재 : 조선의 특별 시험으로 주로 기술관을 뽑음 ③ 천거 : 추천제 ④ 현량과 : 조선의 조광조가 주장, 추천제

4. 〈보기〉의 사건은 고려 무신정권 시기에 신분 해방적 성격을 가진 사건들이다.

5. 지방에 모두 수령을 파견한 시기는 조선이다.

6. 풍수지리설에 바탕을 두고 수도를 서경으로 옮길 것을 묘청이 주장하였다.

7. ① 도방 : 최씨 무신 정권 군사적 기구 ③ 수어청 : 조선 후기 5군영 중 하나 ④ 속오군 : 조선 후기 지방군

8. ① 몽골 : 강화도 천도, 팔만대장경 ② 여진 : 윤관, 별무반, 동북 9성 ④ 홍건적 : 최영, 이성계

9. ② 위화도 회군 : 이성계의 정권 장악 ③ 삼별초 항쟁 : 몽골 항쟁 ④ 서경 천도 운동 : 묘청

10. ① 돌사자상 : 발해 ② 금동대향로 : 백제, 도교 ④ 석굴암 본존불 : 통일신라

11. ① 의천 : 해동 천태종, 교관겸수 ② 원효 : 불교 대중화, 화쟁 사상 ③ 도선 : 신라하대, 풍수지리사상 도입

12. ① 저화 : 종이돈, 조선 태종 ③ 건원중보 : 고려 철전 ④ 상평통보 : 조선 후기

13. ① 녹읍 : 신라 귀족에 지급 ② 영정법 : 조선 후기 전세 개혁 ③ 민전 : 고려 시대 개인 소유지

14. ② 의천 : 해동 천태종, 교관겸수 ③ 김부식 : 고려 삼국사기 편찬 ④ 최승로 : 고려 성종 때 유교 정치 이념 실현

16. ② 삼국사기 : 고려 김부식 편찬, 현존 최고의 역사서 ③ 왕오천축국전 : 통일신라 혜초의 서역 기행문 ④ 무구정광대다라니경 : 통일 신라 시대 만든 현존 최고의 목판 인쇄본

17. 향, 부곡, 소의 거주민은 양민이다. 향과 부곡은 농업에, 소는 수공업 집단이다.

18. 강화도로 천도한 시기는 몽골에 대항하는 시기이다.

19. ① 신진 사대부 : 조선의 건국 세력 ② 6두품 : 신라 중대는 왕권강화 기여, 신라 하대는 반신라 세력화 ③ 호족 : 지방 세력으로 고려 건국

20. ① 중인 : 조선의 중간 계층, 직역을 세습함 ② 향리 : 수령의 실무 행정을 보좌 ④ 노비 : 거래의 대상, 외거 노비의 경우 재산 형성 가능

04. 조선 유교 사회 성립과 발전

1. ①	2. ②	3. ①	4. ③	5. ②
6. ④	7. ③	8. ②	9. ①	10. ③
11. ③	12. ①	13. ①	14. ②	15. ②
16. ②	17. ④	18. ②	19. ③	20. ④

1. 다. 4군 6진 : 세종, 라. 훈민정음 : 세종

2. ① 목민심서 : 정약용, 수령의 지침서 ③ 열하일기 : 박지원, 청에서 본 문물 소개 ④ 동국통감 : 성종 때 만든 역사서

3. ② 첨성대 : 신라, 천문관측 기구 ③ 천리경 : 조선 후기, 서양 문물 수용 ④ 거중기 : 정약용, 수원 화성 건축에 이용

4. ① 시헌력 : 병자호란 이후 조선에서 사용된 역법 ② 택리지 : 조선 후기 이중환이 쓴 지리서 ④ 곤여 만국전도 : 조선 후기 서양에서 유입된 세계지도

5. 양인 남자들한테 부과된 의무는 역으로써 노동력을 제공하는 요역과 병역의무를 말하는 군역이 있다. ① 공납 : 토산물 납부 ③ 전세 : 토지에 대한 세금 ④ 진상 : 왕에게 바치는 특별 현물

6. 사림과 관련된 것이다. ①, ②, ③은 모두 훈구와 관련 있다.

7. 〈보기〉에서 설명하는 도자기는 백자이다. ① 고려 상감청자 ② 조선 초기 분청사기 ④ 조선후기 청화 백자

8. 서원은 본래 선현의 제사를 위해서 만든 사원이다. 그 곳에서 유생들이 학문을 연구하고 후학도 양성하고 붕당의 근거지를 이루기도 한다.

9. ② 향도 : 고려 시대 향촌 조직으로 마을의 상장례 주관 ③ 유향소 : 향촌 양반 자치 기구, 수령 자문 역할 ④ 경재소 : 중앙에서 지방 업무를 보는 사무소, 유향소 통제 역할

10. ① 춘추관 : 역사 편찬 ② 승정원 : 왕의 비서기구 ④ 의금부 : 왕의 직속 사법기구

11. 조선의 지방 행정 기구에서는 상피제를 적용하여 자신의 출신지는 배제되었다.

12. ② 인조 : 병자호란 극복, 영정법 ③ 선조 : 임진 왜란 극복 ④ 효종 : 북벌론

13. ② 직전법 : 세조, 현직관리만 토지 지급 ③ 관수관급제 : 성종, 국가가 수조권 대행 ④ 녹봉제 : 수조권 폐지

14. ①, ③, ④는 강화도 조약 이후 파견된 해외 사찰단

15. ② 의금부 : 왕의 특별 사법기구로 왕권을 강화

16. ① 향도 : 마을의 상장례 주관 ③ 서원 : 선현에 대한 제사, 붕당의 근거지 ④ 성균관 : 중앙 교육기관

17. ① 향약 : 향촌 자치 규약 ② 유향소 : 향촌 양반 자치 기구 ③ 서원 : 선현에 대한 제사, 붕당의 근거지

18. ① 양반 : 정치적, 경제적 권력 향유 계층 ③ 상민 : 농민을 비롯한 상인, 수공업자 등 조세와 공납, 역 부담 ④ 천민 : 노비가 대부분

19. ① 무오사화 : 김종직의 조의제문 ② 갑자사화 : 폐비 윤씨 사건과 관련 ④ 을사사화 : 외척 간의 다툼

20. (가)는 관수관급제를 말한다.

05. 조선 사회의 변화

1. ②	2. ③	3. ①	4. ①	5. ②
6. ③	7. ③	8. ②	9. ④	10. ③
11. ①	12. ③	13. ①	14. ③	15. ④
16. ③	17. ③	18. ②	19. ③	20. ②

1. 균역법 시행과 속대전 편찬은 영조의 업적이다.

2. 그림의 기계는 거중기로 정약용이 고안한 것이다. ③ 북학의 : 박제가

3. ② 박제가 : 북학의 저술, 절약보다 소비 강조 ③ 유형원 : 균전론 ④ 홍대용 : 지전설

4. ① 세도정치는 근대지향적 모습을 갖지 못하였다.

5. 〈보기〉의 내용은 조선 후기 서민 문화의 발달 배경이다. ② 상감청자 유행 : 고려

6. ① 비변사 : 조선 후기 최고 회의 기구 ② 속오군 : 조선 후기 지방군 ④ 별기군 : 개화기 신식 군대

7. ① 김홍도 ② 정선 ④ 민화

8. ① 벽란도의 아라비아 상인 : 고려 ③ 청해진의 진골 : 신라 하대 ④ 원 간섭기 권문세족 : 고려 후기

9. ④ 상품 판매 독점권을 가진 시전상인 : 조선 전기

11. ②, ③, ④의 모습은 조선 전기이다.

12. ③ 조선 후기의 세도정치는 외척이 권력을 독점하여 왕권이 약화되었다.

13. ② 보부상 : 장시 발달 ③ 송상 : 개성상인, 인삼 독점권 ④ 만상 : 청과 무역

14. ① 단양 적성비 : 신라 진흥왕 ② 광개토대왕릉비 : 고구려 장수왕 건립 ④ 충주 고구려비 : 고구려 장수왕

15. ① 경강 상인 : 한강을 중심으로 소금, 어물, 미곡 판매 ② 평양 상인 : 유상 ③ 동래 상인 : 일본과 교역

16. 세도정치기의 대표적인 농민 봉기이다. ③ 집강소 설치 : 동학농민군의 자치 행정 기구

17. ① 곤여만국전도 : 조선 후기 세계지도 ② 동국지도 : 정상기, 백리척 사용 ④ 혼일강리역대국도지도 : 조선 전기 세계지도

19. ① 방납의 폐단에 대한 해결책으로 대동법 시행 ② 토산물을 집집마다 부과한 것은 공납 ④ 대동법 시행으로 농민 부담 감소

20. ① 균역법 : 영조, 군역 개혁 ③ 도조법 : 조선 후기, 정액제 소작제도 ④ 영정법 : 인조, 1결 당 쌀 4∼6두 납부

06. 근대 사회의 전개

1. ③	2. ①	3. ④	4. ①	5. ①
6. ④	7. ④	8. ③	9. ③	10. ④
11. ④	12. ②	13. ①	14. ③	15. ④
16. ②	17. ①	18. ②	19. ③	20. ①

1. 규장각 설치는 정조 때의 것이고, 비변사 설치는 조선 초기부터 있었던 것이다.

2. ① 강화도 조약은 불평등 조약이다.

3. 〈보기〉의 내용은 개화 운동으로 이를 비판한 사상은 위정척사 사상이다. 위정척사 사상은 우리의 전통을 수호하고 외세는 배격하자는 내용을 가지고 있다.

4. ② 갑신정변 : 근대국가 건설을 위한 최초의 근대 개혁 운동 ③ 강화도 조약 : 최초의 근대적 조약, 불평등 조약 ④ 갑오개혁 : 신분제 폐지, 과거제 폐지

5. ② 위정척사 : 우리 전통 수호 ③ 광무개혁 : 대한제국 시기 점진적 개혁 ④ 운요호 사건 : 강화도 조약의 원인

6. ① 갑신정변 : 근대국가 건설을 위한 최초의 근대 개혁 운동 ② 갑오개혁 : 신분제 폐지, 과거제 폐지 ③ 임오군란 : 구식군대의 차별대우와 개화 정책에 대한 불만으로 일어난 사건

7. ① 광무개혁 : 대한제국 시기 점진적 개혁 ② 갑신정변 : 근대국가 건설을 위한 최초의 근대 개혁 운동 ③ 독립협회 : 아관파천 이후 국가의 자주적 독립과 자유적 민권을 위해 활동한 단체

8. ① 보안회 : 일제의 황무지 개간권 반대 운동 ② 신민회 : 비밀단체, 교육과 산업 육성, 해외 독립운동 기지 건설 ④ 국채보상 운동 : 일제에 나라 빚 갚기 운동, 일제의 경제적 예속에서 벗어나려 함

9. ① 방곡령 : 일본으로 곡물 유출 금지령 ② 이권 수호 운동 : 아관파천 이후 열강의 이권 침탈이 심화되자 독립협회를 중심으로 활동 ④ 물산장려 운동 : 1920년대 민족 기업 육성 보호 목적으로 국산품 애용 운동

10. ④ 갑신정변에 대한 설명이다.

11. ① 강화도 조약 : 조선과 일본 간의 조약, 최초의 근대 조약 ② 갑신정변 : 근대국가 건설을 위한 최초의 근대 개혁 운동 ③ 갑오개혁 : 신분제 폐지, 과거제 폐지

12. ① 신미양요 : 미국이 강화도 침범(1871) ③ 청일

전쟁 : 1894년 ④ 을미사변 : 일제의 명성황후 시해 사건

13. 〈보기〉의 사건들을 통해서 신분제 폐지와 평등한 사회로 변화되었다.

14. ① 독립협회 : 아관파천 이후 국가의 자주적 독립과 자유적 민권을 위해 활동한 단체 ② 보안회 : 일제의 황무지 개간권 반대 운동 ④ 신간회 : 민족 유일당 운동으로 결성, 합법 단체

15. ① 갑신정변 : 근대국가 건설을 위한 최초의 근대 개혁 운동 ② 아관파천 : 고종이 러시아 공사관으로 거처를 옮김, 열강의 이권침탈 본격화 ③ 임오군란 : 구식군대의 차별대우와 개화 정책에 대한 불만으로 일어난 사건

16. 〈보기〉의 내용은 대한제국 시기 나라를 지키기 위한 민족 운동이었다.

17. ② 신간회 : 민족 유일당 운동으로 결성, 합법 단체 ③ 만민공동회 : 독립협회가 주관이 되어 개최한 민중 집회 ④ 집강소 : 동학 농민군의 자치행정 기구

18. ① 영세 중립국 논의 : 갑신정변 이후에 논의가 있었음 ③ 적당한 시기에 독립 추진 : 카이로 회담 ④ 신탁통치 : 해방 직후 한국의 정부 수립에 대한 모스크바 3국 외상회의 결정

19. ① 강화도 조약 – 최초의 근대 조약 ② 제1차 한·일 협약 : 일제의 군사적 요충지 확보 ④ 한·일 신협약 : 차관정치, 군대해산

20. 임오군란 : 1882년, 갑오개혁 : 1894년, 을사늑약 : 1905년, 한일병합 : 1910년

07. 민족의 독립 운동

1. ④	2. ①	3. ①	4. ①	5. ②
6. ④	7. ①	8. ②	9. ④	10. ③
11. ③	12. ②	13. ④	14. ④	15. ②
16. ②	17. ④	18. ③	19. ①	20. ④

1. ① 문화 통치 : 1920년대 기만적 민족 분열책 ②

유신 통치 : 1970년대 박정희 정부 ③ 민족 말살 통치 : 1930년대 중일전쟁 이후 전쟁에 동원하기 위한 식민통치

2. 일제는 토지 조사 사업이란 명목으로 토지를 약탈하였다.

3. ① 한국어와 한국사 교육을 금지한 것은 1930년대 민족 말살 통치 시기이다.

4. ② 원산 총파업 : 1929년 노동운동 ③ 6·10 만세 운동 : 순종의 인산일을 계기로 학생 중심의 독립운동 ④ 광주 학생 항일 운동 : 1929년 한일학생 간의 다툼에서 비롯한 민족차별에 대한 저항운동

5. ② 대한민국 임시정부는 3·1 운동의 결과 설립되었다.

6. ① 봉오동 전투 : 1920년 홍범도 장군이 이끈 독립군 전투 ② 안시성 전투 : 고구려가 당의 침략을 물리친 전투 ③ 쌍성보 전투 : 1930년대 한·중 연합으로 만주지역에서 일제에 대한 전투

7. ② 훙커우 공원 의거 : 윤봉길 ③ 6·10 만세 운동 : 순종의 인산일을 계기로 학생 중심의 독립운동 ④ 신간회 : 민족 유일당 운동으로 결성, 합법 단체

8. ① 무단 통치 : 1910년대 ③ 민족 말살 통치 : 1930년대 ④ 병참기지화 정책 : 1930년대

9. ① 독립협회 : 아관파천 이후 국가의 자주적 독립과 자유적 민권을 위해 활동한 단체 ② 독립의군부 : 고종의 밀명으로 조직 ③ 신간회 : 민족 유일당 운동으로 결성, 합법 단체

10. ① 북로군정서 : 청산리 전투

11. ① 토지조사 사업 : 1910년대 ② 산미증식 계획 : 1920년대 ③ 브나로드 운도 : 문맹퇴치 운동으로 일제에 대한 민족 운동 ④ 병참기지화 정책 : 1930년대

12. 그림에 나타난 신사 참배는 1930년대 민족 말살 정책의 모습이다. ① 물산 장려 운동 : 1920년대 ③ 한글신문 허용 : 1920년대 ④ 헌병 경찰 통치 : 1910년대

13. 〈보기〉의 내용은 1937년 중·일 전쟁 이후의 민족 말살 통치 내용이다.

14. ① 서재필 : 독립협회 창립 ② 안중근 : 이토 히로부미 저격 ③ 김좌진 : 청산리 대첩

16. ① 보안회 : 일제의 황무지 개간권 반대 운동 ③ 독립협회 : 아관파천 이후 국가의 자주적 독립과 자유적 민권을 위해 활동한 단체 ④ 조선물산장려회 : 1920년대 물산장려 운동 주도

18. ③ 조선사 편수회 : 일제 친일 역사 연구단체, 식민지 역사관 강화

19. ② 안정복 : 조선후기 실학자 ③ 정인보 : 민족주의 역사학자 ④ 유득공 : 조선 후기 역사서 '발해고' 저술

20. ① 한용운 : 독립운동가, 민족 불교 수호 ② 백남운 : 사회경제 사학 ③ 정약용 : 실학 집대성, '목민심서' 등 많은 저술 활동

08. 현대 사회의 발전

1. ①	2. ③	3. ④	4. ③	5. ①
6. ④	7. ①	8. ①	9. ①	10. ②
11. ②	12. ②	13. ①	14. ②	15. ④
16. ③	17. ②	18. ①	19. ④	20. ③

1. ② 얄타 회담 : 1945년 소련의 참전으로 미국이 한반도 38선을 제안한 국제회의 ③ 포츠담 선언 : 1945년 한국의 독립을 재확인한 국제회의 ④ 모스크바 3국 외상회의 : 한국의 신탁 통치 결정

2. 농지개혁은 농민에게 토지 소유를 실현시킨 개혁이다.

3. ① 조선 건국 준비 위원회 : 1945년 해방되면서 정부 수립을 위해 조직, 전국적 치안조직을 마련하여 사회적 혼란 방지 ② 국가 재건 최고 회의 :

5·16 군사정변 직후 구성하여 정부의 역할 수행 ③ 좌우합작 위원회 : 1946년 미·소 공동 위원회의 회의 결렬 이후 임시정부 수립을 위해 중도적 좌익과 우익 세력이 만든 조직이지만 양쪽의 지지를 받지 못함.

4. ① 카이로 회담 : 1943년 한국의 독립을 최초로 합의한 국제회의 ② 포츠담 선언 : 1945년 한국의 독립을 재확인한 국제회의 ④ 얄타 회담 : 1945년 소련의 참전으로 미국이 한반도 38선을 제안한 국제회의

5. ② 이승만, 송진우 : 민족주의 우익을 대표하는 인물 ③ 여운형, 안재홍 : 조선 건국 준비 위원회

6. ① 1945년 8월 15일 : 해방일 ② 1948년 5월 10일 : 최초의 총선거 ③ 1948년 7월 17일 : 최초 헌법 공포일

7. ② 윤보선 : 제 2공화국 대통령(1960년~1961년) ③ 박정희 : 1961년~1979년 국정 책임자 및 대통령 ④ 전두환 : 1981년~1987년 대통령, 삼청교육대, 통행금지 폐지

8. ② 10·26 사태 : 박정희 대통령 서거 ③ 5·18 민주화 운동 : 1980년 전두환 등 신군부에 대항한 민주화 운동 ④ 6월 민주 항쟁 : 1987년 대통령 직선제 개헌 주장

9. ② 국가 재건 최고 회의 : 5·16 군사정변 직후 구성하여 정부의 역할 수행 ③ 조선 건국 준비 위원회 : 1945년 해방되면서 정부 수립을 위해 조직, 전국적 치안조직을 마련하여 사회적 혼란 방지 ④ 좌우합작 위원회 : 1946년 미·소 공동 위원회의 회의 결렬 이후 임시정부 수립을 위해 중도적 좌익과 우익 세력이 만든 조직이지만 양쪽의 지지를 받지 못함.

10. ② 4·19 혁명은 이승만의 장기집권 자유당의 부패에 항거한 민주화 운동이다.

11. 현대사의 민주화 운동은 4·19 운동, 5·18 민주화 운동, 6월 민주항쟁으로 대표될 수 있다. ②

5 · 16 군사 정변은 합법적인 장면 내각을 붕괴시킨 군사쿠데타이다.

12. ① 이승만 정부 : 발췌 개헌, 사사오입 개헌, 진보당 사건 ③ 김대중 정부 : 최초로 선거에 의한 여야 정권 교체, 최초 남북 정상 회담 개최 ④ 노무현 정부 : 권위적 정부 청산

13. 4 · 19 혁명 : 1960년, 5 · 18 민주화 운동 : 1980년, 6월 민주 항쟁 : 1987년

14. ① 4 · 19 혁명 : 이승만의 장기집권 자유당의 부패에 항거한 민주화 운동 ③ 10월 유신 : 1972년 유신헌법을 통한 대통령 권한 강화 ④ 5 · 16 군사 정변 : 군부의 쿠데타로 당시 사회질서 유지 목적이었으나 장기집권이 이루어짐

15. ① 4 · 19 혁명 : 1960년 ② 10 · 26 사태 : 1979년 ③ 6월 민주 항쟁 : 1987년 ④ 5 · 18 민주화 운동 : 1980년

16. ④ 12 · 12 사태 : 전두환 등의 신군부 세력의 쿠데타로 정권을 잡음

17. ① 이승만 정부 : 발췌 개헌, 사사오입 개헌, 진보당 사건 ③ 김대중 정부 : 최초로 선거에 의한 여야 정권 교체, 최초 남북 정상 회담 개최 ④ 노무현 정부 : 권위적 정부 청산

18. ② 6 · 15 남북 공동 선언 : 2000년 남북정상 회담의 결과로 금강산 관광 활성화, 개성공단 설치에 합의 ③ 한반도 비핵화공동선언 : 1991년 12월 31일 ④ 화해와 불가침 및 교류 · 협력에 관한 합의서 : 남북 기본 합의서(1991년)

20. 통일에 대한 3대 원칙 : 7 · 4 남북 공동 성명

실전모의고사

01. 실전모의고사

1. ②	2. ①	3. ③	4. ③	5. ①
6. ①	7. ③	8. ③	9. ①	10. ④
11. ①	12. ②	13. ④	14. ②	15. ②
16. ③	17. ②	18. ③	19. ④	20. ③
21. ①	22. ③	23. ④	24. ③	25. ④

1. (가) 시기는 구석기 시대이다. ① 계급사회 : 청동기 시대 ③ 토테미즘 : 신석기 시대, 동식물 숭배 ④ 농경 생활 : 신석기 시대

2. ② 부여 : 영고, 순장, 사출도 ③ 동예 : 무천, 책화 ④ 옥저 : 민며느리제, 가족 공동무덤

3. 지도는 백제 근초고왕 때의 모습이다. ① 고조선 멸망 : 기원전 108년 ② 고구려 안시성 전투 : 7세기 ④ 고구려 남한강 진출 : 5세기

5. ② 신진 사대부 대두 : 고려 말 ③ 9주 5소경 : 신라 중대 ④ 녹읍 폐지, 관료전 지급 : 신라 중대

6. ② 의천 : 천태종 창시 ③ 지눌 : 조계종 창시 ④ 혜초 : 왕오천축국전

7. ① 살수대첩 : 수의 침입을 을지문덕이 막아냄 ② 청산리대첩 : 김좌진 장군 지휘하에 독립군 연합부대는 일본군에게 크게 승리함 ④ 행주대첩 : 임진왜란 때 권율 장군 지휘하에 행주산성에서 관민이 합심하여 왜병을 몰아냄

9. ② 동국통감 : 조선 성종 때 역사서 ③ 발해고 : 조선 후기 유득공이 쓴 발해 역사서 ④ 고려사 : 조선 초기에 쓴 역사서

10. ①, ②, ③는 조선의 지방행정 조직에 관한 설명이다.

11. ② 중서문하성 : 고려 최고 정무기구 ③ 중추원 : 고려 시대 왕의 비서기구 ④ 향리 : 속현이나 향, 부곡, 소를 다스리는 지방 관리

12. ① 칠정산 : 조선의 역법, 한양을 기준으로 날짜 계산 ③ 대전통편 : 정조 때 편찬한 법전 ④ 조선왕조실록 : 조선 왕의 언행을 기록한 문서, 세계문화

기록 유산

13. ①, ②, ③은 임진왜란에 대한 설명이다.

14. 탕평정치는 붕당의 변질을 해결하기 위해 나타난 것이다. 그리고 정조 승하 후 외척이 권력을 장악한 세도정치가 나타났다. ① 통상수교 거부정책 : 흥선 대원군 ③ 4군 6진 : 세종 ④ 중립외교 : 광해군

15. ② 목화가 전래된 것은 고려 말이다.

16. ③ 화백회의 : 신라의 귀족회의

17. 강화도 조약은 최초의 근대조약이지만 불평등 조약이다. 불평등 조약 내용은 영사재판권(치외법권), 해안측량권이다. ① 외권교 박탈 : 을사늑약 ③ 신분제 폐지 : 갑오개혁 ④ 단발령 : 을미개혁

18. 나. 왜와 통하는 자 엄벌 : 동학농민 운동, 다. 지계 발급 : 광무개혁

19. ① 임오군란 : 구식 군대 차별 대우와 개화 정책 불만으로 발생 ② 갑신정변 : 근대 국가 건설을 목표한 급진 개혁 ③ 관민공동회 : 독립협회가 주관한 민중집회로 관리와 민중이 함께 집회에 참여

20. ① 조선 교육회 : 민립대학 설립 운동 ② 대한 자강회 : 고종 퇴위 반대 운동 ④ 보안회 : 일제의 황무지 개간권 반대 운동

21. ② 물산장려 운동 : 1920년대 국산품 애용 운동 ③ 조선 형평 운동 : 백정에 대한 차별 철폐 ④ 국채보상 운동 : 나라 빚을 갚고 일제의 경제적 예속에서 벗어나기 위한 경제 구국 운동

22. ① 신간회 : 민족 유일당 운동, 합법단체 ② 대한민국 임시정부 : 상하이에서 수립, 한국광복군 활동 ④ 한인 애국단 : 김구 조직, 윤봉길 의거

23. ④ 한글신문 허용 : 1920년대 일제의 기만적 분열책으로 허용

24. ① 평화적 정권 교체 : 김대중 정부 ② 지방자치 전면 실시 : 김영삼 정부 ④ 4 · 19 혁명 : 이승만 정부 몰락

25. ① 박정희 정부 : 7 · 4 남북 공동 성명, 통일의 3대 원칙

02. 실전모의고사

1. ③	2. ②	3. ①	4. ①	5. ④
6. ④	7. ②	8. ①	9. ②	10. ②
11. ①	12. ②	13. ④	14. ①	15. ④
16. ②	17. ③	18. ①	19. ②	20. ③
21. ②	22. ②	23. ①	24. ④	25. ②

1. ① 구석기 시대 : 뗀석기(주먹도끼) ② 신석기 시대 : 빗살무늬 토기, 가락바퀴 ④ 철기 시대 : 독무덤, 널무덤

3. ② 고대국가 기틀 : 태조왕, 고이왕, 내물왕 ③ 활발한 정복활동 : 장수왕, 근초고왕, 진흥왕 ④ 불교 수용 : 소수림왕, 침류왕, 법흥왕

4. 3성 6부제, 주작대로 등은 중국인 당의 영향을 받은 것이다.

5. ① 전시과 : 고려의 토지 제도 ② 공음전 : 고려 시대 5품 이상의 귀족에게 지급된 특혜적 토지 ③ 직전법 : 조선 세조 때 현직만 토지 지급

6. ④ 쌍성총관부 : 공민왕 때 무력으로 탈환

8. 〈보기〉의 내용은 고려 광종 때 실시한 노비안검법과 과거제에 대한 설명이다.

9. ① 귀족 : 음서와 공음전 ③ 양민 : 백정(농민), 향 · 부곡 · 소 거주민 ④ 천민 : 노비

10. ① 돌사자상 : 발해 ③ 금동대향로 : 백제 ④ 석굴암 본존불 : 통일신라

11. ② 향교 : 지방교육기관, 국가에서 운영 ③ 성균
관 : 중앙교육기관, 소과 합격생 입교 ④ 서원 : 선
현에 대한 제사, 학문연구, 붕당의 근거지

12. ① 이황 : 도산서원, 일본 성리학에 영향 ③ 이
성계 : 조선 건국 ④ 송시열 : 조선 후기 학자, 정치
인

13. ① 엄격한 신분제로 신분 상승 불가 : 골품제도
② 쌀, 삼베 이용 : 고려 ③ 상감청자 유행 : 고려

14. ② 만적의 난 : 고려 무신정권 ③ 원종과 애노의
난 : 통일신라 ④ 망이 · 망소이의 난 : 고려 무신정
권

15. ① 정약용 : 실학 집대성, 목민심서 ② 홍대용 :
지전설 ③ 유득공 : 발해고

16. 나. 갑신정변 : 급진 개화세력의 개혁
라. 아관파천 : 고종이 러시아 공사관으로 거처를 옮김

17. ③ 근대적 국민국가 건설 : 갑신정변

18. 가. 동학농민 운동 : 1894년
나. 을미개혁 : 1895년
다. 아관파천 : 1896년
라. 대한제국 : 1897년

19. ② 아관파천 : 고종이 러시아 공사관으로 거처를
옮김

20. ① 한성순보 : 최초의 근대 신문 ② 독립신문 :
순한글 신문, 영문도 있음 ④ 황성신문 : 을사늑약에
대한 항일 논설 기재

21. ① 토지조사 사업 : 1910년대 ③ 병참기지화 정
책 : 1930년대 ④ 남면북양 정책 : 1930년대

22. ① 보안회 : 일제의 황무지 개간권 반대 운동 ③
독립협회 : 근대의식 고취 ④ 조선 형평 운동 : 백정
에 대한 차별 철폐

23. ② 안정복 : 조선 후기 실학자 ③ 정인보 : 민족
주의 역사학자 ④ 박은식 : 대한민국 임시정부 대통
령 역임, 민족주의 역사학자

24. ① 삼백 산업 : 1950년대 ② 경부고속국도 :

1970년 ③ 경공업 집중 : 1960년대

25. ① 7 · 4 남북 공동 성명 : 1972년 통일의 3대
원칙 ③ 남북 정상 회담 : 2000년 최초로 개최 ④
6 · 15 남북 공동 선언 : 2000년 경의선 복구, 개성
공단 설치 합의

한국사

인쇄일	2022년 4월 27일
발행일	2022년 5월 4일
펴낸이	(주)매경아이씨
펴낸곳	도서출판 국자감
지은이	편집부
주소	서울시 영등포구 문래2가 32번지
전화	1544-4696
등록번호	2008.03.25 제 300-2008-28호
ISBN	979-11-5518-128-7 13370

국자감 전문서적

기초다지기 / 기초굳히기

"기초다지기, 기초굳히기 한권으로 시작하는 검정고시 첫걸음"

· 기초부터 차근차근 시작할 수 있는 교재
· 기초가 없어 시작을 망설이는 수험생을 위한 교재

기본서

**"단기간에 합격! 효율적인 학습!
적중률 100%에 도전!"**

· 철저하고 꼼꼼한 교육과정 분석에서 나온 탄탄한 구성
· 한눈에 쏙쏙 들어오는 내용정리
· 최고의 강사진으로 구성된 동영상 강의

만점 전략서

"검정고시 합격은 기본! 고득점과 대학진학은 필수!"

· 검정고시 고득점을 위한 유형별 요약부터
  문제풀이까지 한번에
· 기본 다지기부터 단원 확인까지 실력점검

핵심 총정리

"시험 전 총정리가 필요한 이 시점! 모든 내용이 한눈에"

· 단 한권에 담아낸 완벽학습 솔루션
· 출제경향을 반영한 핵심요약정리

합격길라잡이

"개념 4주 다이어트, 교재도 다이어트한다!"

· 요점만 정리되어 있는 교재로 단기간 시험범위 완전정복!
· 합격길라잡이 한권이면 합격은 기본!

기출문제집

"시험장에 있는 이 기분! 기출문제로 시험문제 유형 파악하기"

· 기출을 보면 답이 보인다
· 차원이 다른 상세한 기출문제풀이 해설

예상문제

"오랜기간 노하우로 만들어낸 신들린 입시고수들의 예상문제"

· 출제 경향과 빈도를 분석한 예상문제와 정확한 해설
· 시험에 나올 문제만 예상해서 풀이한다

한양 시그니처 관리형 시스템

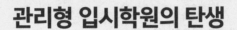

#정서케어 #학습케어 #생활케어

관리형 입시학원의 탄생

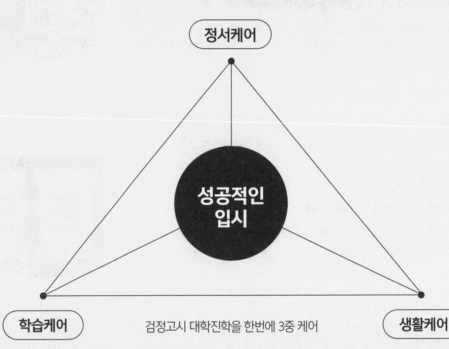

정서케어

성공적인
입시

학습케어

생활케어

검정고시 대학진학을 한번에 3중 케어

ⓘ 정서케어

· 3대1 멘토링
  (입시담임, 학습담임, 상담교사)
· MBTI (성격유형검사)
· 심리안정 프로그램
  (아이스브레이크, 마인드 코칭)
· 대학탐방을 통한 동기부여

🖥 학습케어

· 1:1 입시상담
· 수준별 수업제공
· 전략과목 및 취약과목 분석
· 성적 분석 리포트 제공
· 학습플래너 관리
· 정기 모의고사 진행
· 기출문제 & 해설강의

⌂ 생활케어

· 출결점검 및 조퇴, 결석 체크
· 자습공간 제공
· 쉬는 시간 및 자습실
  분위기 관리
· 학원 생활 관련 불편사항
  해소 및 학습 관련 고민 상담

HANYANG
A C A D E M Y

한양 프로그램 한눈에 보기

· 검정고시반 중·고졸 검정고시 수업으로 한번에 합격!

기초개념	기본이론	핵심정리	핵심요약	파이널
개념 익히기	과목별 기본서로 기본 다지기	핵심 총정리로 출제 유형 분석 경향 파악	요약정리 중요내용 체크	실전 모의고사 예상문제 기출문제 완성

· 고득점관리반 검정고시 합격은 기본 고득점은 필수!

기초개념	기본이론	심화이론	핵심정리	핵심요약	파이널
전범위 개념익히기	과목별 기본서로 기본 다지기	만점 전략서로 만점대비	핵심 총정리로 출제 유형 분석 경향 파악	요약정리 중요내용 체크 오류범위 보완	실전 모의고사 예상문제 기출문제 완성

· 대학진학반 고졸과 대학입시를 한번에!

기초학습	기본학습	심화학습/검정고시 대비	핵심요약	문제풀이, 총정리
기초학습과정 습득 학생별 인강 부교재 설정	진단평가 및 개별학습 피드백 수업방향 및 난이도 조절 상담	모의평가 결과 진단 및 상담 4월 검정고시 대비 집중수업	자기주도 과정 및 부교재 재설정 4월 검정고시 성적에 따른 재시험 및 수시컨설팅 준비	전형별 입시진행 연계교재 완성도 평가

· 수능집중반 정시준비도 전략적으로 준비한다!

기초학습	기본학습	심화학습	핵심요약	문제풀이, 총정리
기초학습과정 습득 학생별 인강 부교재 설정	진단평가 및 개별학습 피드백 수업방향 및 난이도 조절 상담	모의고사 결과진단 및 상담 / EBS 연계 교재 설정 / 학생별 학습성취 사항 평가	자기주도 과정 및 부교재 재설정 학생별 개별지도 방향 점검	전형별 입시진행 연계교재 완성도 평가

D-DAY를 위한 신의 한수

검정고시생 대학진학 입시 전문

검정고시 합격은 기본!
대학진학은 필수!

입시 전문가의 컨설팅으로 성적을 뛰어넘는 결과를 만나보세요!

HANYANG ACADEMY

YouTube

모든 수험생이 꿈꾸는
더 완벽한 입시 준비!

입시전략 컨설팅   수시전략 컨설팅   자기소개서 컨설팅

면접 컨설팅   논술 컨설팅   정시전략 컨설팅

입시전략 컨설팅

학생 현재 상태를 파악하고 희망 대학
합격 가능성을 진단해 목표를 달성
할 수 있도록 3중 케어

수시전략 컨설팅

학생 성적에 꼭 맞는 대학 선정으로
합격률 상승! 검정고시 (혹은 모의고사)
성적에 따른 전략적인 지원으로 현실성
있는 최상의 결과 보장

자기소개서 컨설팅

지원동기부터 학과 적합성까지 한번에!
학생만의 스토리를 녹여 강점은
극대화 하고 단점은 보완하는
밀착 첨삭 자기소개서

면접 컨설팅

기초인성면접부터 대학별 기출예상질문
대비와 모의촬영으로 실전면접
완벽하게 대비

대학별 고사 (논술)

최근 5개년 기출문제 분석 및 빈출 주제를
정리하여 인문 논술의 트렌드를 강의!
지문의 정확한 이해와 글의 요약부터
밀착형 첨삭까지 한번에!

정시전략 컨설팅

빅데이터와 전문 컨설턴트의 노하우 /
실제 합격 사례 기반 전문 컨설팅

MK 감자유학

Valuable education content provider

We're Experts

우리는 최상의 유학 컨텐츠를 지속적으로 제공하기 위해 정기 상담자 워크샵, 해외 워크샵, 해외 학교 탐방, 웨비나 미팅, 유학 세미나를 진행합니다.
이를 통해 국가별 가장 빠른 유학트렌드 업데이트, 서로의 전문성을 발전시키며 다양한 고객의 니즈에 가장 적합한 유학솔루션을 제공하기 위해 최선을 다합니다.

KEY STATISTICS

30년+ 전통교육그룹	17개 국내최다센터	15년 평균상담경력	24개국 해외네트워크	2,600+ 해외교육기관
Educational	**The Largest**	**Specialist**	**Global Network**	**Oversea Instituitions**

Educational

감자유학은 교육전문그룹인 매경아이씨에서 만든 유학부문 브랜드입니다. 국내 교육 컨텐츠 개발 노하우를 통해 최상의 해외 교육 기회를 제공합니다.

The Largest

감자유학은 전국 어디에서도 최상의 해외유학 상담을 제공할 수 있도록 국내 유학 업계 최다 상담 센터를 운영하고 있습니다.

Specialist

전 상담자는 평균 15년이상의 풍부한 유학 컨설팅 노하우를 가진 전문가 입니다. 이를 기반으로 감자유학만의 차별화된 유학 컨설팅 서비스를 제공합니다.

Global Network

미국, 캐나다, 영국, 아일랜드, 호주, 뉴질랜드, 필리핀, 말레이시아 등 감자유학 해외 네트워크를 통해 발빠른 현지 정보 업데이트와 안정적인 현지 정착 서비스를 제공합니다.

Oversea Instituitions

고객에게 최상의 유학 솔루션을 제공하기 위해서는 다양하고 세분화된 해외 교육기관의 프로그램이 필수 입니다. 2천개가 넘는 교육기관을 통해 맞춤 유학 서비스를 제공합니다.

 2020 대한민국 교육 산업 유학 부문 대상

 2012 / 2015 대한민국 대표 우수기업 1위

 2014 / 2015 대한민국 서비스 만족대상 1위

OUR SERVICES

현지 관리
안심시스템

엄선된
어학연수교

전세계 1%대학
입학 프로그램

전문가
1:1 컨설팅

All In One
수속 관리

해외
어학연수

English Language Study

해외
인턴십

Internship

해외
대학유학

University Level Study

해외
초중고유학

Early Study abroad

해외
영어캠프

English Camp

24개국 네트워크 미국 | 캐나다 | 영국 | 아일랜드 | 호주 | 뉴질랜드 | 몰타 | 싱가포르 | 필리핀

국내 유학업계 중 최다 센터 운영!

감자유학 전국센터

강남센터	강남역센터	분당서현센터	일산센터	인천송도센터
수원센터	청주센터	대전센터	전주센터	광주센터
대구센터	울산센터	부산서면센터	부산대연센터	
예약상담센터	서울충무로	서울신도림	대구동성로	

문의전화 **1588-7923**

왕초보 영어탈출 구구단 잉글리쉬

ABC 알파벳부터 회화까지~~ 구구단보다 쉬운영어~♪♬

01 | **구구단잉글리쉬는 왕기초 영어 전문 동영상 사이트 입니다.**
알파벳 부터 소리값 발음의 규칙 부터 시작하는 왕초보 탈출 프로그램입니다.

02 | **지금까지 영어 정복에 실패하신 모든 분들께 드리는 새로운 영어학습법!**
오랜기간 영어공부를 했었지만 영어로 대화 한마디 못하는 현실에 답답함을 느끼는 분들을
위한 획기적인 영어 학습법입니다.

03 | **언제, 어디서나 마음껏 공부할 수 있는 환경을 제공해 드립니다.**
인터넷이 연결된 장소라면 시간 상관없이 24시간 무한반복 수강!
태블릿 PC와 스마트폰으로 필기구 없이도 자유로운 수강이 가능합니다.

체계적인 단계별 학습

파닉스	어순	뉘앙스	회화
· 알파벳과 발음 · 품사별 기초단어	· 어순감각 익히기 · 문법개념 총정리	· 표현별 뉘앙스 · 핵심동사와 전치사로 표현력 향상	· 일상회화&여행회화 · 생생 영어 표현

파닉스		어순		어법
1단 발음트기	2단 단어트기	3단 어순트기	4단 문장트기	5단 문법트기
알파벳 철자와 소릿값을 익히는 발음트기	666개 기초 단어를 품사별로 익히는 단어트기	영어의 기본어순을 이해하는 어순트기	문장확장 원리를 이해하여 긴 문장을 활용하여 문장트기	회화에 필요한 핵심문법 개념정리! 문법트기

뉘앙스		회화	
6단 느낌트기	7단 표현트기	8단 대화트기	9단 수다트기
표현별 어감차이와 사용법을 익히는 느낌트기	핵심동사와 전치사 활용으로 쉽고 풍부하게 표현트기	일상회화 및 여행회화로 대화트기	감 잡을 수 없었던 네이티브들의 생생표현으로 수다트기

왕초보 영어탈출
구구단 잉글리쉬